code name
화톳불
code name
애랑
code name
빙인

백귀
code name

code name
몽어
code name
우인

스파이 교실 06

《백귀》의 지비아

스파이 교실 06

《백귀》의 지비아

저자 타케마치
일러스트 토마리

CONTENTS

SPY ROOM
the room is a specialized institution of mission impossible
code name hyakki

CHARACTER PROFILE

애랑
Grete

어느 거물 정치가의 딸.
정숙한 소녀.

화원
Lily

벽지 출신의
세상 물정 모르는 소녀.

화톳불
Klaus

『등불』의 창설자이자
「세계 최강」의 스파이.

몽어
Thea

대형 신문사
사장의 외동딸.
고아한 소녀.

빙인
Monika

예술가의 딸.
불손한 소녀.

백귀
Sibylla

갱 집안에
태어난 장녀.
늠름한 소녀.

우인
Erna

전 귀족. 빈번히 사고와 조우하는 불행한 소녀.

망아
Annett

출신 불명. 기억 상실. 순진한 소녀.

초원
Sara

거리 레스토랑 셰프의 딸. 소심한 소녀.

Team Otori

개풍
Queneau

고익
Culu

비금
Vindo

우금
Pharma

상파
Vics

뜬구름
Lan

프롤로그 추억

딘 공화국에 있는『등불』의 본거지, 아지랑이 팰리스의 벽면에는 낙서가 있었다.

엉망진창인 그림이었다.

중심에서 바깥을 향해 선이 열다섯 개 그려져 있었다. 힘차게 뻗은 직선, 우아하게 굽은 곡선, 이상하게 나선을 그리며 뻗은 선—어느 하나 똑같은 선이 없지만, 공통적으로 전부 생기 넘쳤다.

대체 누가 이런 그림을 그리자고 말을 꺼냈는지는 이미 모두가 잊어버렸다.

당시에는 다들 들떠 있었다. 술 취한 자도 있었다.『등불』과『봉황』, 두 스파이팀의 총원 열다섯 명이 벌인 파티는 한창 무르익어 하염없이 떠들썩했다.

대다수의 인간은 **그것**을 자각하지 못한다.

늘 지나간 후에나 인식한다. **그것**을 잃고, 마음을 마모시키며 하루하루 소란에 시달리다가 문득 과거를 그리워할 때 마침내 보인다.

—아아, 그 한때야말로 청춘이라고 할 수 있지 않을까.

자정 넘어서까지 야단법석을 떨었던 송별회 밤을, 엘리트들과 함께 크게 웃으며 낙서했을 때의 별하늘을『등불』의 소녀들은 이따금 그리워했다.

【펜드 연방 2974지점 무전. 코드 네임 『달구경』의 보고.

『비금』 빈드 : 사망

『상파』 빅스 : 사망

『뜬구름』 란 : 행방불명

『고익』 큐르 : 사망

『우금』 팔마 : 사망

『개풍』 크노 : 사망

팀 『봉황』, 임무 계속이 불가능하다고 판단.】

야단법석을 떨고 한 달 후, 그 보고서는 도착했다.

1장 신문

신문실은 지하에 있었다.

펜드 연방의 수도에는 『카샤드 인형 공방』이란 건물이 있었다. 고풍스러운 2층짜리 벽돌 건물이었다. 「외국의 부호를 대상으로 인형을 생산한다」라는 것이 인근 주민들의 인식이었다. 만약 24시간 그 출입구를 주시했다면 검정 일색으로 차려입은 이상한 남녀를 봤겠지만, 특별한 것 없는 한산한 공방을 감시하는 별난 사람은 없었다.

이 건물은 사실 첩보 기관의 거점이었다.

펜드 연방의 첩보 기관 CIM의 방첩 전문 부대 『배리어스』.

그들의 사명은 국내에 잠입한 공작원의 구속이었다. 그들은 펜드 연방을 위협하는 스파이를 붙잡아 무자비하게 고문했다. 붙잡힌 스파이는 몇십 시간이나 고초를 겪은 후, 조국의 정보를 실토한다.

오늘 밤도 스파이 한 명이 신문실로 끌려왔다.

감옥 같은 작은 방이었다.

창문은 없었다. 중앙에는 책상이 있었고, 그 책상을 가운데 두고서 양쪽으로 나무 의자가 하나씩 배치되어 있었다. 방구석에는 또 다른 책상이 있고 필기구가 놓여 있었다. 지하 특유의 퀴퀴함이 가득했다.

구속당한 스파이는 의자에 깊이 앉아 고개를 숙이고 있었다. 뒤로 돌려진 양손에 수갑이 채워져 있었다.

“……배고파.”

잠긴 목소리였다.

그 뒤에서 뚜벅뚜벅 발소리가 울리더니 한 인물이 들어왔다.

리틀 레이디
“반가워요, 꼬마 아가씨.”

키 큰 여성이었다. 프릴이 많이 달린 검은 플레어스커트를 입고 있었다. 섬뜩하리만큼 피부가 하얗고 눈 밑에 새까맣게 그늘이 져 있어서 공포 소설의 삽화에서 튀어나온 것 같은 분위기를 풍겼다.

—마녀.

그런 표현이 딱 어울렸다.

“제 이름은 아멜리. 업계에서는 『조종자』로 통하죠.”

그녀가 바로 『배리어스』의 보스였다.

나이는 스물일곱. 젊다고도 할 수 있는 나이에 나라를 지키고 있었다.

그녀는 붙잡힌 스파이의 맞은편 의자에 앉았다.

“펜드 연방에 잘 왔어요. 환영해요, 리틀 레이디.”

“……”

“이 나라에 찾아온 분은 세 가지 방법으로 대접하는 게 저희의 방식이에요. 손님에게는 홍차를, 친구에게는 스콘을 곁들이고, 적에게는 이마에 납탄을. —당신은 어느 쪽일까요?”

“……”

붙잡힌 스파이는 계속 침묵했다.

어린 티가 남은, 소녀라고 해도 될 외양이었다. 야수처럼 탄탄한 몸과 짧게 친 백발. 그 머리카락 밑으로 보이는, 강한 에너지가 느껴지는 늠름한 눈.

—『백귀』 지비아.

그것이 소녀의 이름이었다.

서늘한 신문실에서 지비아는 그저 홀로 침통한 표정을 짓고 있었다.

아멜리는 담담한 어조로 말했다.

"딘 공화국에서 오신 손님. —지금부터 신문을 시작하겠습니다."

◇◇◇

—세계는 아픔으로 가득하다.

세계 대전이라고 불리는 역사상 가장 큰 전쟁이 종결된 지 10년. 전쟁의 참상을 목도한 정치가는 군사력이 아니라 스파이로 타국을 제압하는 쪽으로 정책의 방향을 돌렸다.

『등불』은 딘 공화국을 대표하는 스파이팀이다. 예전에는 양성 학교의 낙오자였던 여덟 소녀와 자국 최강의 스파이인 『화톳불』 클라우스가 팀에 편성되어 있었다.

지비아는 그 일원이었다.

—신문이 시작되기 한 시간 전.

지비아는 펜드 연방의 수도, 휴로의 거리를 달리고 있었다.

오전 한 시를 넘긴 시각이었다. 깊어지는 밤과 호응하듯 안개가 짙어져서, 가로등에서 조금만 벗어나면 3m 앞도 보이지 않았다.

지비아가 달리는 필레이드 거리는 수도에 흐르는 테레코강 옆에 있었다. 무수한 음식점이 늘어선 관광 명소였다. 빨간 벽돌로 지은 건물이 줄지어 있는 아름다운 거리.

지비아는 가로등 아래를 전속력으로 달리고 있었다. 숨을 헐떡이면서.

이윽고 고급 시계 가게 앞에 멈춰 섰다.

음식점 사이에 지어진, 전면 유리창으로 된 가게였다.

『출입 금지』라고 적힌 테이프가 일대를 포위하고 있었다.

근처 가로등은 전원이 나가려고 하는지 계속 깜빡거렸다. 그 빛을 등지는 위치에 선 지비아가 가게 안을 바라보았다.

진열장이 깨져서 바닥에 유리가 흩어져 있었다. 여기저기 놓인 거울도 무참히 깨져서 흩어져 있었다. 주의 깊게 관찰하니 벽에 총알 흔적이 남아 있었다. 가게 안에 있던 시계는 모두 정리되어 진열대는 텅 비어 있었다.

벽에는 붉은 스프레이 페인트로 글자가 적혀 있었다.

【우리는 불사의 나라의 복수자.
뜨겁게 타올라라, 재건에 취하라.】

지비아는 미소 지었다. 기쁨을 숨기지 못한 것처럼.

“이게 뭐야. 란, 너는 진짜—.”

가게 앞의 가로등이 깜빡이고 있었다.

뒤에서 반짝이던 빛이 일순 사라지고.

다시 빛났을 때, 지비아의 시야에 **사람이 늘어나 있었다.**

“딘 공화국의 스파이일까요. 실례지만 죽여 버리겠어요.”

여성의 목소리가 울렸다.

지비아가 즉각 돌아봄과 동시에— 발포음이 연달아 두 번 울렸다.

총알이 왼쪽 뺨과 오른쪽 다리를 스쳤다.

습격받았음을 깨달았다. 거의 반사적으로 옆으로 뛰며 자동 권총을 꺼냈다. 갈고닦은 신체 능력을 구사해 속사로 응전하고자 했다.

“【목록 8번】.”

그러기 전에 여성의 기계적인 목소리가 울렸다.

안개 속에서 좌우 동시에 생겨난 쇠망치가 지비아의 양쪽 어깨를 동시에 때렸다. 뒤로 날아가 지면에 쓰러진 직후, 딱딱한 것이 이마를 눌렀다.

마녀처럼 얼굴이 어두운 여성이 지비아에게 총구를 대고 있었다.

“……윽.”

아무것도 할 수 없었다.

여성 혼자만 있는 게 아니었다. 지비아는 포위당한 상태였다.

기척도 없이 나타난 집단은 지비아가 도망치지 못하게 전방위를 막고 있었다. 두 남녀가 쇠망치를 들고서 좌우에 섰고, 그 주위에서 여섯 명이 지비아에게 총구를 겨누고 있었다. 고개를 드니 시계 가게 지붕에도 총을 든 남자가 있었다.

각자가 살기를 풍기며 지비아의 급소를 1초 안에 공격할 준비를 끝낸 상태였다.

"더 정확히 말하자면—."

지비아의 정면에 서서 자동 권총을 겨눈 여성이 노려보았다.

"—우리의 지시에 거역한다면 바로 죽여 버리겠어요."

아멜리였다.

크게 펼쳐진 플레어스커트를 흔들며 권총을 들고 있었다. 슬쩍 후방을 보고서 짜증 난다는 듯 눈썹을 찌푸렸다.

안개 속에서 빛이 깜빡이고 있었다.

"켜졌다가 꺼졌다가 칠칠맞지 못한 가로등이네요. 손님은 좀 더 정중한 곳에서 대접해야죠. 안 그러면 우리 체면을 구기게 돼요."

아멜리는 그렇게 내뱉고서 지비아의 이마에 권총을 눌렀다.

"그런데— 고문 훈련은 받았나요? 리틀 레이디."

그 협박에 따르는 것 말고는 선택지가 없었다.

◇◇◇

지비아는 붙잡힌 경위를 떠올리고 주먹을 움켜쥐었다.

아멜리가 신문실에 들어온 후 수갑은 풀렸다. 하지만 해방감은 들지 않았다. 대신 살기가 방을 채우고 있었다. 지비아가 조금이라도 반항하면 망설이지 않고 죽일 셈이리라.

방에는 아멜리와 남성 서기뿐이지만, 그보다 많은 시선이 느껴졌다.
등으로 식은땀이 흘렀다.
타국의 첩보 기관에 구속당한 것은 처음이었다.
"……너희가 누군지는 알아."
지비아가 중얼거렸다.
"펜드 연방에는 뛰어난 방첩 부대가 많다고 양성 학교에서 들었어. 『조종자』라는 이름도. 적발 전문가라지?"
"네, 잘 아시는군요."
"30대 남성이라고 들었는데."
"저는 4대 『조종자』예요. 우리나라에서는 코드 네임을 물려받죠."
아멜리는 담담히 말한 후 지비아를 노려보았다.
"그래서 리틀 레이디— 손님은 시계 가게에서 뭘 하고 있었죠?"
잡담에 어울려 줄 마음은 없는 듯했다.
아멜리의 목소리 톤은 항상 일정했다. 사적인 감정이 느껴지지 않았다. 어딘가 기계적이었다.
"……사람을 찾고 있었어."
지비아는 입술을 깨물었다.
"펜드 연방에 위해를 가할 마음은 없어. 딘 공화국과 펜드 연방은 적대 관계가 아니야. 당연하잖아?"
"네, 함께 가르가드 제국을 경계하는 동맹국이죠. 우리는 협력 관계예요."
"그렇지? 그러니까—."

"하지만 말이죠, 손님."

아멜리가 일어나서 지비아의 머리를 휘어잡았다.

"스파이 세계에 우호 따위 없어요."

아멜리는 그대로 지비아의 얼굴을 책상에 박았다.

"—읏!"

코를 세게 부딪쳤다.

입안이 찢어지며 피 맛이 퍼졌다.

항의의 뜻을 담아 얼굴을 들자 경멸하듯 내려다보는 아멜리의 눈이 있었다.

—지비아의 조국인 딘 공화국과 펜드 연방은 동맹 관계다.

세계 대전이 촉발했을 때, 세계는 둘로 나뉘었다. 가르가드 제국을 중심으로 하는 추축국과 펜드 연방·라일라트 왕국을 중심으로 하는 연합국. 제국에 침략당한 딘 공화국은 연합국 측에 붙었다. 스파이 활동으로 추축국의 정보를 훔쳐서 연합국의 승리에 크게 공헌했다.

그 이후로 딘 공화국과 펜드 연방은 동맹을 맺고 있었다.

정치가가 나서서 맺는 우호 조약만을 말하는 게 아니었다. 안 보이는 곳에서 암약하는 스파이들도 가르가드 제국을 경계하여 연대하고 있었다.

하지만 양성 학교에서 수없이 배웠다.

스파이 세계에 **협력은 있어도 우호는 없다.**

공작원이 근본적으로 중시하는 것은 조국의 이익이다. 그게 때로는 동맹국의 이익에 반하기도 했다. 가르가드 제국을 견제하기 위해 정보를 흘리기는 하지만, 자국의 내정이나 목적은 절대 전하지 않았다.

타국의 스파이와 일시적으로 협력하는 일은 있어도 본질은 적이었다.

그렇기에 **동맹국의 스파이여도 당연히 고문한다.**

“한 가지 오해를 풀어 두기로 하죠.”

아멜리가 지비아의 머리에서 손을 뗐다.

“당신네 나라의 양성 학교는 조금 착각하고 있는 것 같아요. 우리의 특기는 적발이 아니에요. 물론 적발에도 강한 자긍심을 가지고 있지만, 가장 잘하는 건 따로 있죠.”

“뭐?”

“—고문이에요, 손님.”

아멜리가 손가락을 딱 튕겼다.

신문실 안쪽에서 검은 옷을 입은 여자가 수레를 차례차례 끌고 왔다.

수레 위에는 처음 보는 기계와 날붙이가 놓여 있었다. 많은 전선과 구속구가 달린 의자, 살을 얇게 뜨기 적합한 필러 같은 도구, 꺼림칙한 색의 액체가 든 작은 병—.

아멜리는 전기의자를 쓰다듬듯 어루만졌다.

"우리나라는 뛰어난 과학 기술을 가지고 있어요. 고문 기구 쪽으로도 최첨단을 걷고 있죠. 세상의 온갖 스파이가 우리 앞에서 갓난아기처럼 울부짖어요."

"……윽."

"모를 만도 해요. 고문당한 자는 한 명도 남김없이 죽거든요."

차례차례 도구가 들어와 신문실 공간을 압박했다.

고문 기구가 하나씩 운반될 때마다 산소가 희박해지는 기분이었다.

발밑을 보니 말라붙은 핏자국이 보였다.

"단도직입적으로 묻겠어요."

아멜리가 신문을 진행했다.

"당신은 왜 그 시계 가게에 들렀죠?"

"……사람을 찾으러 갔어. 그 이상도 이하도 아니야."

"누구를? 왜?"

"……."

"묵비하겠다면 저희도 태도를 바꿀 수밖에 없어요."

아멜리가 엷게 웃으며 손바닥이 위로 가도록 하여 손을 들었다.

아멜리의 부하인 듯한 여성이 아멜리의 손에 버터플라이 나이프를 살며시 올렸다. 아멜리는 나이프의 칼날을 빼며 지비아에게 팔을 내밀라고 요구했다.

불길한 예감밖에 안 들었지만 저항할 수 있는 상황은 아니었다.

지비아는 왼팔을 책상에 올렸다.

아멜리가 즉각 지비아의 팔을 잡았다.

“고문으로 전환하죠. —손님의 손가락을 순서대로 자르겠어요.”
폭 하고 거센 소리가 났다.
“——!”
지비아가 눈을 부릅떴다.
아멜리가 지비아의 손끝을 향해 즉각 나이프를 내리찍은 것이다. 눈에 보이지도 않는 속도로 휘둘린 흉기는 책상에 깊이 박혔다.
“실례했습니다.”
아멜리가 기계적인 목소리로 중얼거렸다.
지비아는 아무 말도 할 수 없었다.
“—겨냥이 옆으로 3mm 빗나갔네요.”
나이프는 지비아의 소지와 약지 사이에 박혀 있었다.
만약 지비아가 조금이라도 움직였다면 손가락은 잘렸을 것이다.
“다음번은 신중하게 노리겠어요. 마지막 양보예요, 리틀 레이디.”
아멜리가 무표정으로 말했다.
“그리고 오른팔을 줘야 할 거예요. 총에 탄 때를 보면 손님은 명백하게 오른손잡이니까요.”
“…….”
땀이 끊임없이 흘렀다.
긴장을 늦추면 아멜리가 풍기는 살기에 무릎이 후들거릴 것 같았다.
전혀 모르는 세계는 아니었다. 양성 학교에서도 배웠다.
—붙잡힌 스파이를 기다리고 있는 것은 빛이라고는 없는 절망이다.

구속당한 자는 정보를 실토하고 죽을 뿐이다. 묵비하더라도 격통이나 투약으로 이성이 파괴되고 마음이 망가져서 요구하는 대로 정보를 실토하게 된다.

간혹 이중 스파이가 되어 살아남기도 하지만, 그 경우에는 동포에게 살해당한다.

제기랄, 하고 입에서 욕이 흘러나왔다.

지식으로는 알고 있었지만 실제로 체험하니 너무나도 달랐다.

심장이 두근두근 크게 뛰었다.

"……물 좀 줘."

"음?"

아멜리가 눈썹을 찡그렸다.

"목말라서 얘기하기 힘들어."

아멜리가 손가락을 딱 튕겼다.

아이스티가 가득 담긴 디캔터가 나왔다. 아멜리는 무표정으로 그것을 받아 얼음이 든 유리잔에 따라서 「여기요, 손님」 하고 내밀었다.

왼손으로 유리잔을 받았다.

아멜리에게 오른팔을 잡힌 채 지비아는 유리잔에 입을 댔다.

"……『뜬구름』 란."

"음?"

"그게 우리가 찾고 있는 인물이야. ……그 인물이 소속되어 있었던 팀은 『봉황』."

지비아는 작은 목소리로 말했다.

"……지난달, 펜드 연방에서 『뜬구름』을 제외한 모든 『봉황』 멤버가 죽었어. 우리는 유일한 생존자인 『뜬구름』을 쫓고 있어. 행방불명됐거든."

"……."

"……다만 3주가 지났는데도 실마리가 전혀 없어. 내가 시계 가게에 있었던 건 『필레이드 거리의 시계 가게에서 발포 사건이 있었다』라는 정보를 얻었기 때문이야. 설명은 이게 다야."

"……그렇군요."

아멜리는 다크서클이 짙게 진 눈으로 응시했다.

"그럼 손님은 왜 그렇게 반응했던 거죠? 【우리는 불사의 나라의 복수자】였던가요? 벽에 적힌 글자를 보고 웃었잖아요."

"란의 필적이었기 때문이야. 마침내 실마리를 잡았는걸. 그야 웃지."

"그 문구는 무슨 뜻이죠?"

"의미 따위 없어. 그저 놀이야. 그 녀석들과는—."

그렇게 대답한 후, 지비아는 자신이 너무 많이 말하고 있다는 걸 깨달았다.

하지만 취소할 수 없었다. 이미 아멜리가 팔에 힘을 꽉 주며 계속 말하라고 재촉하고 있었다.

"아는 사이였어……."

지비아는 고백했다.

"……우리 『등불』과 『봉황』은 짧은 기간이었지만 빈번히 만났었어."

그랬다. 『등불』과 『봉황』 사이에는 교류가 있었다.

—롱청에서 귀국한 후 한 달간.

낙오자 집단 『등불』과 엘리트 집단 『봉황』.

정반대인 두 스파이팀은 밀월이라고 해야 할 시간을 보냈다.

◆◆◆

—밀월 1일째.

일의 발단은 『등불』의 보스가 꺼낸 말이었다.

"『봉황』 녀석들을 아지랑이 팰리스에 초대했어."

""""""""""으에?""""""""""

반듯한 외모의 키 큰 장발 청년, 클라우스가 아침 식사 중에 뜬금없이 부하에게 전했다.

아지랑이 팰리스는 딘 공화국의 항구 마을에 있는 『등불』의 본거지였다. 『화염』이라는 전설적인 팀에게 물려받은 곳으로, 동포로부터 구원 요청이 들어오면 달려가기 위한 거점이었다.

건물 자체가 기밀 정보라서 평소에는 손님 따위 초대하지 않지만—.

"원래는 내가 그 녀석들의 보스가 되기로 약속했었으니까. 없던 일로 해 줬지만, 의리 정도는 지키고 싶어."

클라우스는 아지랑이 팰리스의 식당에서 설명했다.

약속이란, 지난달 롱청이라는 극동의 나라에서 벌어진 싸움을 말했다. 『등불』은 클라우스를 걸고 『봉황』과 부딪쳤었다. 「양성 학교의 낙오자」 VS 「전체 양성 학교의 톱6」라는 운명의 대결은 『등불』의 패배로 막을 내렸지만, 『봉황』의 온정으로 클라우스는 팀을 옮기지 않게 되었다.

클라우스는 성실하게도 그 사실을 신경 쓰고 있는 것 같았다.

하지만 귀국하고 불과 하루 만에 이런 발언을 하다니. 『등불』의 소녀들에게는 휴가가 시작되는 첫날이기도 했다.

소녀들의 반응은 미묘했다.

"소, 솔직히 말하자면……."

풍만한 가슴과 사랑스러운 외모를 가진 은발 소녀—『화원』 릴리가 얼굴을 찡그렸다.

"『봉황』한테는 여전히 거북한 마음이 있어요."

릴리는 빵을 뜯으며 신음했다.

"그쪽 리더한테 흠씬 얻어맞았으니까요. 존경은 하지만, 본능적으로 움츠러든다고 할까……."

릴리뿐만 아니라 다른 소녀도 어두운 표정으로 말했다.

"저, 저도 무섭습다. 물론 나쁜 사람들은 아니지만."

"평범하게 8 대 6으로 싸워서 졌으니 말이지."

"죽여도 되는 싸움이었다면 참패했을 거야."

"분하긴 하지만 『봉황』은 우수했어. 조금 무서울 정도로."

"……또 보스를 갖고 싶다고 헛소리하지 말아야 할 텐데요."

"나님, 관심 없어요!"

"에, 에르나의 안식처가 위협받고 있어."

저마다 코멘트했지만, 대부분 부정적인 반응이었다.

실제로 『등불』은 『봉황』의 실태를 잘 몰랐다. 룽청에서는 서로 정보를 제한했고, 대화한 적 없는 멤버도 많았다. 헤어지면서 어찌어찌 화해 분위기가 조성되긴 했지만 교류는 없는 것과 같았다.

—이전에 클라우스를 노렸던, 존경은 하지만 왠지 마음에 안 드는 엘리트들.

그게 『봉황』에 대한 인상이었다.

물론 그들의 실력이 훌륭하다는 건 인정하고, 스파이로서 배울 점은 많았다. 하지만 『등불』을 한번 해산시킬 뻔했다는 것 때문에 인상은 몹시 좋지 않았다.

"결론은 나왔네요."

이야기를 정리하듯 릴리가 일어났다.

"—『봉황』분들은 돌려보내기로 하죠!"

"일단 그 녀석들한테는 빚이 있는데?"

"그거랑 이건 별개의 얘기예요."

릴리는 클라우스의 말을 딱 잘라 차단하고 주먹을 들었다.

"저희를 한번 속였던 건 잊지 않았어요! 저희의 깊은 원한을 얕보면 곤란해요! 굿바이, 『봉황』!"

""""""""굿바이, 『봉황』!""""""""

장단을 맞추듯 다른 소녀들도 외쳤다.

"……언제 어디서나 시끄러운 여자들이야."

지옥 밑바닥에서 울린 것 같은 싸늘한 목소리가 들렸다.

돌아보니 눈매가 날카로운 갈색 머리 청년이 노려보고 있었다.

—『비금』 빈드.

이제는 『봉황』의 보스였다. 뛰어난 단검술을 지녔고, 양성 학교 전교생 중 1등이라는 성적을 거두기도 한 수재. 그가 동료 다섯 명과 함께 현관홀에 서 있었다. 빈드는 양손을 주머니에 찔러 넣고서 절대 영도의 시선을 보내왔다.

"확실히 우리는 클라우스를 뺏으려고 했었어. 하지만 그건 너희의 실력이 낮다는 정당한 이유에서였고, 그 사실은 직접 대결해서 증명했을 텐데? 그런 우리를 돌려보내겠다니 어떻게 된 거지? 그리고 이 패턴은 대체 몇 번째야?"

""""""""""……………….""""""""""

소녀들은 땀을 줄줄 흘리며 굳었다.

릴리가 떨리는 목소리로 말했다.

"벌써, 와 있었군요~."

"우리도 휴가 중이니까."

빈드는 시큰둥하게 콧방귀를 뀌었다.

다른 『봉황』 멤버는 빈드 뒤에서 흥미롭게 아지랑이 팰리스의 인테리어를 관찰하고 있었다.

릴리는 손을 움직이며 횡설수설 중얼거렸다.

"저, 저기…… 아까 한 말은, 홧김에 나온 말이라서, 본심이 아니라…… 저희는 되는대로 말하는 일이 많으니까 진심으로 받아들이지 않으셨으면 좋겠다고 할까…….”

“본심이어도 상관없어.”

빈드가 날카롭게 말했다.

“너희의 실력은 인정했지만 친목을 다질 마음은 없어. 시시해. 여기 온 건 클라우스와 정보를 교환하기 위해서야.”

“윽…….”

“너희가 원한다면 바로 돌아가 줄게. 원래부터 그럴 작정이었어.”

빈드는 그렇게 잘라 말했다.

““““““““““…………윽.””””””””””

기가 죽은 『등불』의 소녀들.

““““““““…………””””””””

엄격한 시선을 보내는 『봉황』의 엘리트들.

식당은 무거운 침묵에 휩싸였다.

원래 같았으면 『등불』과 『봉황』이 교류할 일은 없었다.

임무에 임하는 자세나 살아온 인생을 포함하여 그들은 너무나도 다른 존재였다.

그런 두 팀을 이어 준 것은—.

“음? 나는 훈련을 봐주려고 너희를 여기로 부른 건데?”

—클라우스였다.

이 자리에서 유일하게 낙오자나 엘리트라는 틀에 얽매이지 않는 남자는 두 팀 사이에 있는 골을 신경 쓰지 않고 의아해하며 고개를 갸우뚱했다.

모두가 「응?」 하고 클라우스를 보았다.

클라우스는 기다렸다는 듯 고개를 끄덕였다.

"너희는 『등불』을 이겼어. 상 정도는 줘야 한다고 생각해서 말이야. 뭐가 좋을까 생각해 봤는데, 훈련은 어때?"

"훈련? 네가 봐주는 건가?"

"그래. 내가 직접 지도해 주겠어. 나에겐 『화염』으로서 최전선에서 싸워 온 경험이 있어. 양성 학교에서는 배울 수 없는 기술을 가르쳐 줄 수 있을 거야."

"……그렇군."

빈드는 잠시 생각하고서 고개를 끄덕였다.

"나쁘지 않네. 좋아. 그 제안을 받아들—"

"—나를 쓰러뜨려라."

"응?"

"어떤 수단을 써도 좋아. 다 같이 협력하여 내 입에서 『항복』이라는 말이 나오게 해 봐. 휴가 중에도 나는 임무를 수행하지만, 원하는 타이밍에 습격해도 돼. 훈련 내용은 그게 다야."

""""""""………………""""""""

빈드를 포함해 『봉황』 여섯 명이 말을 잇지 못했다.

이윽고 빈드가 곤혹스러운 얼굴로 소녀들을 보았다.

"이 남자는 장난치고 있는 건가?"

"""""본인은 매우 진지합니다."""""

"제대로 된 지도는 못 하는 건가?"

"""""못 합니다."""""

"혹시 너희도 똑같은 훈련을?"

"""""반년 넘게 이런 느낌입니다."""""

"………………."

재차 긴 침묵이 찾아왔다.

엘리트들도 역시 이해하는 데 시간이 걸리는 것 같았다.

빈드는 양손을 주머니에 넣고서 한동안 천장을 올려다보며 움직이지 않았다. 그러다 고개를 푹 숙이고 완만한 동작으로 머리카락을 크게 쓸어 올리더니 클라우스에게 날카로운 시선을 보냈다.

"우리에게 너무 유리한 조건이잖아……. 얕보고 있는 건가?"

화가 난 것 같았다.

전에 없이 강렬한 노기를 발산하고 있었다. 옆에서 보고 있는 소녀들도 숨을 삼킬 정도였다.

그 분노를 이어받듯 다른 『봉황』 멤버들도 말했다.

"으음~♪ 『등불』과 똑같은 취급을 받고 싶진 않네요♪."

"용서할 수 없소. 소생들을 얕보고 있소."

"응. 6 대 1인걸. 역시 질 리가 없어."

"『봉황』의 실력을 보여 주자~."

"……옳다. 목표는 1분 내로 결판내는 것."

자존심이 상했을 것이다. 『봉황』 여섯 명 전원이 일제히 클라우스에게 적의를 보냈다. 당장 달려들 것 같은 기백이었다.

그 모습을 옆에서 보고 『등불』의 소녀들이 떠올린 생각은 하나였다.

""""""아, 이 전개, 본 적 있어…….""""""

예전에 그녀들도 통과한 길이었다.

직후 『봉황』의 엘리트들은 별다른 책략도 없이 클라우스에게 돌격했고 훌륭하게 순삭당했다.

클라우스의 훈련은 『봉황』에 큰 변화를 가져온 것 같았다.

충격적이었을 것이다. 전체 양성 학교의 톱6였던 엘리트들에게 그건 역사적인 참패였던 모양이다.

첫날, 『봉황』은 멍한 얼굴로 돌아갔다.

그리고 이튿날, 그들은 새로운 계획을 짜서 아지랑이 팰리스에 왔다. 용감무쌍하게 클라우스에게 도전하고 또 비슷하게 패배했다. 아연한 모습으로 또 돌아가고 다음 날도 비슷한 일을 반복했다.

그 모습을 보고 『등불』의 소녀들은 깨달았다.

자존심 강한 인간이 압도적 강자와 만나면 어떻게 되는가?

"오늘도 왔어, 『등불』의 여자들. 클라우스는 있나?"

“““““매일 오지 마!”””””

밀월 4일째—『봉황』이 **스토커로 변했다.**

◆◆◆

신문실은 조용했다.

지비아가 『봉황』과의 교류가 시작됐을 때를 떠올리는 몇 초 동안 아멜리는 말이 없었다. 옆에서 첩보원이 놀리는 만년필 소리만 났다.

“……솔직히 마음에 안 드는 녀석들이었지만.”

지비아는 나직이 중얼거렸다.

“그래도 전혀 모르는 사이는 아니야. 그래서 『봉황』이 괴멸한 원인을 알고 싶어. 유일한 생존자—『뜬구름』 란은 자신 외에 다 죽었다고 보고한 후 연락이 끊어졌어.”

고개를 옆으로 크게 흔들었다.

“……하지만 아까 말한 것처럼 3주 동안 찾았는데도 란의 행방은 알 수 없어.”

“……”

아멜리는 움직이지 않았다.

“마침내 얻은 실마리가 그 시계 가게야. 이번에는 너희가 가르쳐 줘. CIM의 방첩 부대가 왜 그 시계 가게를 감시하고 있었지? 조금쯤은 괜찮잖아? 거듭 말하지만, 펜드 연방에 위해를 가할 마음은 조금도 없어."

지비아는 마지막 말을 강조했다.

『등불』은 펜드 연방과 대놓고 대립하고 싶은 게 아니었다. 원하는 건 정보였다.

"……."

아멜리는 말없이 계속 무표정으로 바라보았다.

다크서클이 짙게 진 눈은 어딘가 섬뜩했다. 『조종자』라는 코드네임은 이 인간답지 않은 분위기를 표현한 걸까?

이윽고 아멜리는 한숨을 쉬더니 「감사합니다」 하고 고개를 끄덕였다.

"당신의 사정은 알겠습니다. 지인이 죽어서 분명 마음고생도 하셨겠죠."

"으, 응. 이해해 줘서 고마워."

"다만—."

아멜리는 짧게 답하고 지비아의 오른팔에 힘을 줬다.

"—맥박이 미미하게 빨라졌습니다. 거짓말을 하셨군요."

"——!!"

"미숙하네요. 손님은 우수한 스파이가 아닌 거겠죠."

아연실색했다.

아멜리는 협박하기 위해 손목을 세게 잡은 것이 아니었던 모양이다. 맥을 재서 마음의 움직임을 읽고 있었던 거다.

아멜리의 입매가 비틀렸다. 지비아의 반응을 즐기듯이.

—첩보 전문 부대『배리어스』의 수장.

—『조종자』 아멜리.

그녀가 내뿜는 수상쩍은 압박감에 지비아는 숨이 막혔다.

마치 지비아의 심정 따위 전부 꿰뚫어 보고 있는 것 같았다.

아멜리는 지비아의 팔을 놓고 의자에서 일어났다. 뚜벅뚜벅 발소리를 내며 실내를 돌기 시작했다.

"……굳이 본국에서 온 스파이가 태연히 거짓말도 못 하는 수준인가요. ……『봉황』을 별로 중요시하지 않아서……? 이 손님은 정체가 뭘까요……."

이따금 들려오는 중얼거림은 어딘가 작위적이었다.

이윽고 아멜리는 스커트를 부드럽게 나부끼며 뒤돌았다.

"—뭐, 좋습니다."

그리고 우아한 발걸음으로 다가와 지비아의 정면에 섰다.

"가르쳐 드리죠. 저희가 시계 가게를 감시한 이유를."

"뭐?"

예상치 못한 말에 깜짝 놀랐다.

"그래도 돼?"

"상관없습니다. 저희도 공화국과 적대하고 싶지는 않아요."

아멜리는 미소 지었다.

"그런데 손님은— 우리 왕실에 관해 어디까지 아시나요?"

"응?"

지비아는 고개를 갸웃했다.

갑자기 화제가 바뀌었다.

물론 펜드 연방의 기본적인 정보는 머릿속에 들어 있었다.

—펜드 연방은 세계의 **전** 패자다.

역사상 가장 빨리 『산업 혁명』이라 불리는 공업 근대화를 이루어 세계에 진출했다. 톨파 대륙과 극동, 신대륙을 차례차례 지배하고 그 땅을 「펜드 왕국의 국토」로 삼아 왕국에 충성을 맹세하게 했다. 세계를 펜드 왕국으로 물들이는 것 같은 침략이었다.

이윽고 「펜드 왕국」은 「펜드 연방」으로 국명을 바꿨다. 형식상 각 주가 저마다 권한을 가진 「연방제」지만 실상은 「중앙 집권제」였다.

왕실을 정점으로 하여 전 세계의 나라들을 아우르는 거대한 지배 체계.

세계 대전 이후로 패자 자리는 무자이아 합중국에 넘겼지만 그 영향력은 약해지지 않았다.

"물론 알고는 있는데……."

"네, 펜드 연방은 왕실이 더없이 강한 나라라서요. 펜드 왕국과 지배하에 둔 14개국들의 수장이신 라이볼트 여왕님, 그리고 자제분이신 다린 황태자 전하를 포함한 다섯 왕자에게 모든 국민이 충성을 맹세하고 있어요."

조곤조곤 이야기한 후, 아멜리는 말했다.

"—『봉황』은 다린 황태자 전하 암살 미수 혐의를 받고 있어요."

"뭐?"

예상치 못한 정보에 지비아는 얼빠진 목소리를 내고 말았다.

"처음 알았다는 반응이네요."

"아니…… 뭔데, 그거……."

"뉴스 자체는 들었을 텐데요? 지난달 다린 님께서 관공서를 방문하셨을 때, 청사에 폭탄이 설치되어 있었어요. 다린 님은 무사하시지만 직원이 두 명 정도 죽었죠."

"그래, 당연히 알고 있어. 하지만 그건 과격파 테러리스트 짓이라고 했는데."

"표면적으로는 그렇게 처리했어요. 하지만 거기에 딘 공화국의 기관인 『봉황』이 관여했다는 의혹이 있어요."

"증거는 있어?"

"물론이죠. 손님에게 보여 드릴 이유는 없지만요."

처음으로 알게 된 정보에 지비아는 경악했다.

—『봉황』이 황태자를 암살하려고 했다?

이해할 수 없었다.

지금까지 전혀 없었던 정보였다. 애초에 『봉황』이 황태자를 노릴 이유 따위 어디에도 없었다. 그들의 본래 임무는 **어떤 인물**을 수사하는 거였다.

"이제 아시겠죠? 우리 CIM도 『봉황』을 쫓고 있습니다."

"아, 아니, 잠깐만. 애초에 『봉황』은 이미 괴멸했잖아."

"네, 그건 저희도 알아냈습니다. 여섯 명 중 다섯 명은 죽었어요.

그들이 왜 황태자를 노리고 살해당했는지는 저희도 의문이에요."

아멜리는 고개를 끄덕였다.

"전부 아는 사람은 단 한 명뿐이죠. —생존자인 『뜬구름』 란."

"……!"

"우리 『배리어스』의 사명은 그녀를 구속하는 겁니다. 우리가 그 시계 가게에서 마주한 건 필연이죠. 같은 인물을 쫓고 있으니까요."

아멜리는 다시 버터플라이 나이프를 꺼내 그 측면을 지비아의 뺨에 댔다.

서늘하고 차가운 감촉이 전해졌다.

"명령이에요, 리틀 레이디. 『뜬구름』의 정보를 실토하세요."

아멜리가 속삭였다.

"당신은 『뜬구름』과 아는 사이잖아요? —정보를 알고 있을 테죠."

"……."

물론 지비아는 알고 있었다.

『봉황』과는 한 달간 함께 지냈다.

란의 나이와 생김새, 신체 능력, 말투를 빈번히 바꾸는 버릇이 있다는 것, 현재 빠져 있는 건 「하오체」라는 것, 좋아하는 음식은 애플파이로 일주일에 세 번은 먹는다는 것, 특기는 『포박』이며 끈을 이용한 기술이 특기라는 것, 아네트에 대한 공포가 각인되어 만날 때마다 전속력으로 도망친다는 것, 졸업 시험 성적이 3위인 건 우연 아니냐는 의혹이 있다는 것도 알았다.

하지만 그것들은 전부 기밀 정보였다.

지비아가 지금까지 밝힌 정보는 표층일 뿐이었다. 핵심적인 부분은 숨기고 있었다.

"……."

숨이 막혀서 자연스럽게 폐가 괴로워졌다.

"이제 와서 묵비인가요."

아멜리는 불만스러운 듯 혀를 찼다.

"이상하네요. 아까 당신도 저희와 적대할 마음은 없다고 했을 터. 잔인한 테러리스트를 적발하는 걸 도와주실 줄 알았는데요."

"……."

"감싸겠다면— 고문을 재개할 수밖에 없어요."

말을 던지며 아멜리는 손에 더 세게 힘을 줬다.

나이프의 차가운 측면이 지비아의 뺨에 눌렸다. 조금이라도 칼날을 움직이면 지비아의 뺨이 베이겠지만, 그래도 상관없다는 압력이었다.

—자신은 왜 『봉황』을 감싸는가.

지비아의 머릿속에 다시 떠오른 건 그들과 보낸 나날이었다.

◆◆◆

—밀월 8일째.

클라우스에게 참패한 이후로 『봉황』은 매일같이 아지랑이 팰리스에 왔다.

가장 자주 온 사람은 『봉황』의 보스—『비금』 빈드였다.

“또 와 줬다, 『등불』의 여자들. 클라우스는 어디 있지? 음, 아직 임무 중인가. 그럼 식당에서 기다리기로 할까. 요전번에 큐르가 과자를 놓고 갔지? 내가 먹겠어. 아, 그리고 빅스와 팔마도 데려왔어. 다른 녀석들은 이따가—.”

“““““““빨리 돌아가!”””””””

눈매가 날카로운 갈색 머리 청년은 『등불』의 「돌아가 콜」에도 아랑곳하지 않고 아지랑이 팰리스를 찾아왔다.

처음에는 그나마 손님으로 맞이했지만, 매일같이 찾아오니 점차 소녀들의 대응도 달라졌다. 『등불』은 휴가 중이었다. 이쪽 사정을 고려하지 않고 찾아오는 손님만큼 짜증 나는 것도 없었다.

일주일쯤 지나자 만날 때마다 돌아가라고 말하는 것이 패턴이 되었다.

물론 그런다고 엘리트들이 돌아가지는 않았지만.

“……혹시 한가한가요?”

릴리가 어이없다는 얼굴로 태클을 걸었다.

“그럴 리가 없잖아.”

식당에서 과자를 먹으며 빈드가 대답했다.

“우리는 교대로 휴가를 받고 있지만, 방첩 임무도 소화하고 있어. 효율적으로 수행하고 있을 뿐이야. 너희랑 똑같이 취급하지 마.”

“아, 그건 대단하네요.”

“오늘은 전원 휴가야.”

"역시 한가한 거잖아요!"

휘이휘이 하고 릴리가 내쫓았지만 빈드는 콧방귀를 뀌었다.

"걱정하지 마. 내일부터 바빠질 거야. 너희의 생활을 침해할 마음은 없어."

"아, 그렇다면."

"내일은 아지랑이 팰리스에 세 시간만 있을 수 있어. 모레는 저녁에 두 시간, 글피는 새벽에 네 시간, 나흘 뒤부터는 심야에 두 시간, 낮에 여섯 시간, 저녁에 한 시간, 밤에 20분—."

"""""매일 오지 마!"""""

『등불』의 소녀들이 필사적으로 돌려보내는 데에는 큰 이유가 있었다.

귀찮은 인물은 빈드뿐만이 아니었다. 그가 데려오는 『봉황』의 다른 멤버들도 귀찮았다.

롱청에서는 접점이 없어서 몰랐지만 『봉황』에는 별난 사람이 몇 명이나 숨어 있었다.

이를테면 『우금』 팔마.

부스스하게 기른 머리와 통통한 체형 등 어딘가 게으른 분위기를 풍기는 여성이었다. 그녀는 『등불』의 나이 어린 소녀들을 애완동물로 여기는지 아무 데서나 끌어안았다.

주된 피해자는 인형처럼 아름답게 생긴 자그마한 금발 소녀—『우인』 에르나였다.

"아~ 에르나다~ 오늘도 귀엽네~ 볼 만지게 해 줘~ 조몰락거리게 해 줘~ 말랑말랑~ 같이 낮잠 자자~."

"힉! 뭐, 뭔가 무서워! 불행의 조짐이 느껴져!"

에르나는 자주 겁먹으며 시달렸다.

이를테면『뜬구름』란.

연지색 머리카락이 쭉 뻗었고 선을 그은 것처럼 이목구비가 확실한 야무진 소녀였다. 그녀는『등불』의 아네트라는 소녀에게 트라우마가 있어서 만날 때마다「녀석이 나타났소오오오오!」하고 외치며 도주했다. 그저 도망칠 뿐이라면 상관없지만, 아지랑이 팰리스의 비품을 망가뜨리는 파괴자였다.

주된 피해자는 특징이 희미한 중성적인 외모의 청은발 소녀—『빙인』모니카였다.

"아, 모니카 공! 이, 이야~ 지난번에 모니카 공의 머그잔을 깨뜨렸는데, 그건『봉황』의 경비로—."

"네가 물어내. 또 내 물건을 망가뜨리면 죽일 거야."

모니카는 쓰레기를 보는 눈으로 걷어찼다.

그들의 폭주는 멈출 줄을 몰랐다.

『개풍』크노— 가면을 쓴 수수께끼의 거한은「……옳다」하고 중얼거리며 멋대로 부지 내에 텃밭을 꾸렸다. 릴리가 키우는 허브와 독초도 무단으로 옮겨 심었다.

『고익』큐르— 커다란 안경을 쓴 포니테일 소녀는 비교적 멀쩡한 상식인이지만, 「아~ 이 녀석들을 다른 사람이 맡아 주니 편해~」 하고 아득한 눈으로 말하며 동료들을 전혀 말리려고 하지 않았다. 해방감 넘치는 얼굴로 홀에서 편히 쉬었다.

이런 멤버가 매일같이 찾아오니 『등불』 소녀들의 감상은 하나였다.

""""""""""이 녀석들 진짜 귀찮아……!!""""""""""

엘리트들에게 농락당하기만 했다.

하지만 쫓아낼 수도 없었다. 클라우스가 그들의 방문을 인정했고, 실력은 그들이 더 뛰어났다. 힘으로 내쫓는 건 거의 불가능했다.

『봉황』은 『등불』의 천적이었다.

다른 소녀들과 마찬가지로 지비아도 『봉황』 때문에 피해를 봤다.

—『상파』 빅스.

그가 지비아의 천적이었다.

패션모델처럼 잘생긴 청년이었다. 쉴 때마다 여자를 만나는 듯한 빅스는 지비아를 자주 데이트에 초대했다. **남자 역할로.**

"아, 지비아♪ 오늘 밤에 같이 미팅 안 갈래요? 아무래도 남자가 부족해서요. 남장해 주면 여자가 슬퍼하지 않아도 돼요♪."

"알 게 뭐야아아아아아아!"

『봉황』의 다른 남성들은 이미 학을 뗀 모양이라 지비아를 데려가려고 했다.

너무 끈질겨서 지비아는 도망칠 수밖에 없었다.

아지랑이 팰리스 내의 복도를 전속력으로 질주하게 되었다.

"나한테 왜 이러는데!"

"제일 재미있으니까요♪."

"업신여기는 거야?!"

"에이, 신경 쓰지 마세요♪ 이것도 훈련이에요♪ 여자를 꼬시는 것도 스파이의 소양이죠♪."

"나한테는 도움이 안 된다고!"

하지만 빅스라는 남자는 간단히 따돌릴 수 없었다.

—양성 학교 전교생 중 2등인 실력자.

룡청에서 직접 싸웠지만, 그때 그는 진짜 실력을 드러내지 않은 모양이었다. 지비아와의 술래잡기를 즐기듯 여유롭게 웃으며 쫓아왔다.

지비아는 1층 복도를 전력으로 달려서 끝까지 가려고 했다. 2층으로 도망칠 수도 있지만, 2층에는 소녀들의 침실도 있기에 클라우스 외의 남자를 들이고 싶지 않았다.

복도 끝에서 요격하기로 각오했다.

그러기 위한 준비도 해 뒀다.

"이거나 먹어라!"

벽에 장치해 둔 최루 가스를 기동시켰다.

지비아 뒤에 있던 빅스에게 분사되는 완벽한 타이밍이었다. 아지랑이 팰리스 내라면 클라우스와 300번 넘게 싸우며 축적한 경험이 있었다.

빅스는 눈을 감고 분사구를 주먹으로 부쉈다.

시간을 벌기에는 충분했다.

지비아는 곧장 창문으로 도망치려고 몸을 내밀었지만—.

"코드 네임『상파』— 떠올라 부술 시간입니다♪."

쾅, 하고 포탄이 떨어진 것 같은 소리가 났다.

강한 충격이 피부로 전해졌다. 뭔가가 머리 옆으로 지나갔다. 강풍이 지비아의 머리카락을 흔들었다. 움직임을 멈추고 소리가 난 곳을 조심조심 보았다.

벽돌이 벽에 박혀 있었다.

"아……?"

창문 바로 옆에 있는 벽과 벽돌이 충돌한 듯했다. 그 힘에 벽돌 자체도 부서졌지만, 벽이 부서져서 창틀이 찌그러져 있었다. 창문을 만져 봐도 열리지 않았다.

벽돌이 어디서 날아왔는지 생각할 필요도 없었다.

던진 것이다. —빅스가, 그저 완력만으로.

"하아아아아아아아아아아아아아아아아아아아아아아아?!"

비명을 질렀다.

빅스의 특기가 떠올랐다. —『괴력』이었다.

몸이 그리 우락부락해 보이지는 않지만, 빅스는 상식적으로는 가능할 수 없을 만한 근육을 숨기고 있었다. 벽돌을 맹렬한 속도로 던져 창틀을 찌그러뜨리는 것 정도는 일도 아닐 것이다.

빅스는 생글생글 웃으며 다가왔다.

"다행이에요♪ 미리 정원에서 주워 뒀죠♪."

"아니, 벽돌을 가지고 있는 것 같은 기색은 전혀……."

없었을 터다.

빅스는 아무것도 들고 있지 않았었다. 그렇기에 사정거리 밖에서 날아온 공격에 경악한 것이었다.

빅스는 손을 들어 손바닥을 보여 줬다.

"『은닉』— 적의 눈을 속이는 제 기술이에요♪."

납득했다.

어떻게 하는 건지는 모르겠지만, 빅스는 신체에 무기를 숨길 수 있었다. 아마 광배근이나 대둔근 사이에 끼워서 가지고 있었을 것이다.

상대를 현혹하는 기술에 지비아는 한숨을 쉬었다.

빅스의 『괴력』은 적이 반드시 경계해야 하는 부분이다. 하지만 빅스는 공격 직전까지 무기를 숨겨서 어떻게 꺼내는지 알아채지 못하게 하여 늘 상대를 속였다.

『괴력』×『은닉』— 무한 완력.

특기와 거짓을 합치는 개념. 그 이름은 지비아도 알고 있었다.

"사기술인가."

스파이 양성 학교에서 졸업을 앞둔 학생만 받을 수 있는 최종 강의. 상대의 의표를 찔러 자신보다 뛰어난 자를 쓰러뜨리는 유일한 수단.

『등불』의 소녀들 중에서는 에르나만 완성시킨 상태였다.

"아, 지비아는 아직 습득하지 못했던가요♪ 잔챙이네요♪ 웃겨요♪."

"시끄러워!"

비웃는 빅스에게 지비아는 앞차기를 날렸다.

하지만 빅스는 그 발을 간단히 잡고 높이 들어 올려서 지비아를 대롱대롱 매달았다. 일단 빅스의 괴력에 잡히면 도망칠 수 없었다.

"자, 남장하고 미팅이에요♪."

"싫~다~고오오오오오오오오!"

생포된 멧돼지처럼 지비아는 매달린 채 연행되었다.

항의했지만 당연히 빅스는 듣지 않았다.

이후 전개는 알고 있었다. 빅스가 명하는 대로 옷을 갈아입고 남자인 척 미팅에 나가는 지옥을 맛보게 되리라. 최근 며칠 반복된 비극이었다.

이 남자를 어떻게 타도하면 좋을까.

머릿속으로 다음 대책을 생각하고 있으려니 날카로운 소리가 들렸다.

휘파람이었다.

"아쉽네요♪ 벌써 시간이 됐나요♪."

"엉?"

빅스가 아쉬운 듯 고개를 가로젓고서 지비아의 발을 놨다.

"빈드 군이 모이라고 하네요♪."

기본적으로 짜증 나는 그들에게도 배울 점이 하나 있었다.

—스파이 직무에 임하는 자세였다.

지비아가 빅스를 따라 홀까지 걸어가니 빈드를 중심으로 『봉황』과 『등불』 멤버가 한데 모여 있었다. 총 열네 명의 스파이가 모여서 중앙에 있는 빈드에게 시선을 보내고 있었다.

"시간 됐어. 클라우스를 끝장낼 준비를 시작하지."

빈드의 목소리가 또렷하게 울렸다.

다른 『봉황』 멤버는 알겠다고 중얼거리며 표정을 다잡았다. 스위치를 켠 것 같은 전환이었다.

그리고 빈드는 『등불』의 소녀들을 보았다.

"이제부터는 너희도 협력해 줘야겠어."

""""""어?""""""

"스파이로서의 종합치는 낮아도 너희는 강력한 특기를 가지고 있어. 분하지만, 현재 『봉황』의 힘만으로는 클라우스를 이길 수 없어. 연계해서 공략한다."

빈드 옆에 서 있던 큐르가 「작전은 생각해 뒀어」 하고 웃더니 아지랑이 팰리스의 평면도를 보여 줬다.

『등불』의 소녀들끼리는 실행할 수 없었던 작전임을 한눈에 바로 이해했다. 심지어 면밀하게 짜여 있었다. 메인 플랜이 실패했을 때를 대비한 서브 플랜도 여러 개 준비되어 있었다.

「……저희랑 협력할 거면 좀 더 상냥하게 대해 주세요」 하고 릴리가 말했다.

「우리 나름의 커뮤니케이션이야」 하고 빈드가 대답했다.

그의 목소리는 늘 자신감 넘쳤다.

"말했을 텐데. ―『봉황』과 『등불』이 함께 이 나라를 지키는 거야."

엘리트들에게 신뢰받으니 좀 겸연쩍고 기뻤다.

다른 『봉황』 멤버들도 웃었다.

"뭐, 원래부터 그럴 예정이었으니까요♪." "우리가 연대를 강화하는 건 중요한 일이오." "서로 공부가 되기도 하고." "팔마는~ 더 깊이 교류해도 좋을 것 같아~ 같이 온천이라도 가자~." "……아니. 너는 자제해라."

떠들썩하지만 『봉황』의 멤버들은 『등불』보다 조금 어른스러웠다.

역시 그건 소녀들이 동경한 엘리트의 모습이었다.

세계 최강 한 명, 엘리트 여섯 명, 낙오자 여덟 명― 총 열다섯 명.

모이면 항상 시끄러웠다. 누가 뭐라고 하는지 알 수 없을 만큼.

"네~ 릴리가 질문하겠습니다. 같이 훈련할 거면서 왜 빈드 씨는 항상 고압적으로 굴었던 거죠?" "만나자마자 너희가 거절했으니까 그렇지." "……옳다. 나잇값도 못 하고 토라졌었다." "그럼 안 되지~ 당분 부족이야~ 팔마는 에르나랑 디저트 먹으러 가고 싶어~." "응?! 다, 달라붙지 마!" "아, 안 됨다! 에르나 선배는 못 넘김다!" "하지만 같이 밥 먹는 건 좋네. 레스토랑이라도 예약할까?" "아, 곤란한데요♪ 저는 오늘 밤 지비아랑 같이 미팅 나갈 거라서♪." "나가 뒈져! 남장이라면 일단 그레테가 전문인데……." "거절하겠습니다……. 모니카 씨도 남장이 잘 어울릴 거예요." "클라우스 씨가 아닌 다른 남자와 식사하기 싫다고 날 팔아넘기지 마." "어? 그게 무슨 말이야? 궁금해. 혹시?! 사랑?!" "소생도 듣고 싶소!" "나님, 너한테 말할 권리를 주지 않았어요." "하오?!"

매일 내쫓으면서도 교류는 점차 깊어졌다.
두 팀은 서로를 자극하고, 경쟁하고, 성장시켰다.
라이벌이라고도 할 수 있는 관계가— 쭉 이어질 거라고 생각했다.

◇◇◇

"어째서—?"
아멜리가 중얼거렸다.
회상을 끝내고 지비아가 눈을 뜨자 정면에 아연한 표정을 지은 아멜리가 있었다. 믿을 수 없는 장면을 본 것처럼 눈을 동그랗게 뜨고 있었다.

줄곧 사무적이었던 아멜리의 표정이 처음으로 무너졌다.

"엉?"

지비아는 영문을 알 수 없어서 되물었다.

아멜리가 숨을 삼켰다.

"—어째서 손님은 울고 있죠?"

지적받고 나서야 뺨에 흐르는 물방울을 알아차렸다.

자신의 얼굴을 만져서 다시금 그 존재를 확인했다.

'아아, 진짜네……. 나 울고 있어. 꼴사나워…….'

살면서 상실을 경험한 게 처음은 아니었다.

지비아는 어릴 때 갱스터의 딸로 자랐다. 폭력과 수탈이 지배하는 세계에서 살인 현장을 실제로 보기도 했다. 아끼던 사람을 잃기도 했다.

자신이 그때처럼 눈물을 흘리고 있다는 게 놀라웠다.

엘리트들을 떠올리고 타국의 신문실에서 울고 있었다.

'나 참……. 처음에는 재수 없다고 여겼는데…….'

롱청에서는 적대 관계였다.

클라우스를 둘러싸고서 서로를 밟으려고 했었다. 낙오자 특유의 열등감도 느꼈었다.

빈드가 빈번히 찾아오게 된 뒤로는 「오지 마」 「돌아가」 「최소한 선물용 과자라도 들고 와」 하고 실컷 쫓아냈었다.

하지만 지금 지비아는 그들과 보낸 나날을 회상하고서 눈물을 흘리고 있었다.

지비아는 왼손으로 눈물을 닦았다.

"……아까 너는 내가 거짓말하고 있다고 말했지?"

"네."

"맞아. 거짓말이야."

똑바로 앞을 보았다.

"마음에 안 든다는 건 거짓말이야. 녀석들을 싫어하지 않았어."

진심이었다.

—죽지 않길 바랐었다.

—앞으로도 라이벌 관계로 있을 수 있을 거라고 믿었다.

하지만 사망 보고는 진실이었다. 황급히 펜드 연방으로 달려온 지비아는 그들의 시신이 찍힌 사진과 직면했다. 잘 위장했어도 그 사진에는 잔혹한 사실이 찍혀 있었다.

아무리 한탄해도 현실은 뒤집을 수 없었다. 『봉황』은 란을 빼고 모두 순직했다.

그건 『등불』이 처음으로 직면한 **사랑하는 이의 죽음**이었다.

"그럴 리 없어……."

지비아는 주먹을 움켜쥐며 내뱉었다.

"……?"

아멜리가 눈썹을 찡그렸다.

"황태자 암살 미수 사건? 『봉황』 녀석들이 그럴 리 없잖아."

언성을 높였다.

"그 녀석들은 설령 목적이 있더라도, 일반인을 폭풍에 끌어들이는 가르가드 제국 녀석들 같은 더러운 수단은 안 써! **함정에 빠진 거야!** 누군가가 『봉황』에게 죄를 뒤집어씌우고 죽인 거야!"

"불쾌하네요. 우리 『배리어스』가 누군가에게 속았다는—."

"그렇다고 하잖아!!"

충동적으로 욕을 퍼부었다.

격정을 억누를 수 없었다.

타국의 첩보 기관에 잡혀 있는 게 무서워서도 아니었고, 아멜리에게 협박당해 화가 나서도 아니었다. 『봉황』을 잃은 것이 괴로워서 견딜 수가 없었다.

"이 이상의 정보는 실토하지 않겠어."

지비아는 턱을 내렸다.

"이실직고할 이유가 없으니까. 『봉황』은 암살에 관여하지 않았어. 너희는 속고 있어. 그런 녀석들에게 동료의 정보는 못 팔아."

"……상황을 이해하지 못하셨나 봐요?"

아멜리는 망설이지 않았다.

들고 있는 버터플라이 나이프에 힘을 줘서 지비아의 뺨을 베려고 했다.

그 칼날이 하얀 살에 파고들기 전에 지비아는 움직였다.

책상을 걷어차 아멜리의 몸과 함께 날려 버림과 동시에 왼손을 뻗었다.

"코드 네임 『백귀』— 가로채 터는 시간을 가져 주겠어."

아멜리의 나이프를 훔쳤다.

아멜리 뒤에서 『배리어스』 사람들이 움직였다. 품에서 곧장 권총을 꺼내 들어 지비아에게 총구를 겨눴다.

지비아도 나이프를 들고서 달려들려고 자세를 낮췄다.

발포하면 총알 두세 방은 맞을 걸 각오하고 접근할 작정이었다. 좁은 방에서 혼전 상태로 만들면 이길 가능성이 몇 퍼센트는 있었다.

아멜리는 짜증스레 스커트에 묻은 먼지를 털었다.

"저항하겠다는 거군요?"

"그래. 번지수 잘못 짚은 고문을 받아 줄 만큼 한가하지 않거든."

"개소리네요. 우리는 절대정의하에 있어요. —늘 올바르며 틀리지 않아요."

아멜리가 주머니에서 막대기 하나를 꺼냈다.

뭔가 싶어서 지비아는 몸을 긴장시켰지만, 그건 무기가 아니라—지휘봉이었다.

아멜리는 지휘봉을 우아하게 휘둘러 오른쪽을 가리켰다.

"『연화(蓮華) 인형』—."

"—네, 마스터."

희색만면한 웃음을 머금은 수녀복 차림의 여성이 아멜리 오른쪽에 섰다.

이어서 아멜리는 지휘봉으로 왼쪽을 가리켰다.

"『자괴(自壞) 인형』—."

"—분부하시길."

실크해트를 쓴 정장 차림의 호리호리한 소년이 아멜리 왼쪽에 섰다.

두 부하를 양쪽에 거느리고서 아멜리가 미소 지었다.

"이 두 사람은 『배리어스』의 부관이에요. 지금까지 여러 스파이를 매장해 왔죠."

"……아, 그러셔."

"—【목록 4번】."

아멜리가 지휘봉을 크게 휘둘렀다.

"손님을 대접하세요."

그것이 두 부관을 움직이는 지시였던 모양이다.

지비아에게 보인 것은 『연화 인형』이라고 불린 여성과 『자괴 인형』이라고 불린 소년이 폭발적으로 이동한 순간뿐이었다.

완벽하게 통솔이 잡힌 움직임이었다.

똑같은 타이밍에 좌우로 갈라진 2인조는 협공하듯 달려들었다. 그뿐이었다면 그나마 지비아가 대처할 수 있을 것 같았지만—.

정면에서 배를 걷어차였다.

—아멜리였다.

부관들에게 정신이 팔린 사이에 눈앞에 와 있었다.

'너도 움직이는 거냐!'

그저 정면에서 기세만 믿고 날린 발차기였지만, 그렇기에 충격을 죽이지 못하고 지비아는 뒤에 있는 벽에 처박혔다.

들고 있던 나이프를 떨어뜨렸다.

『연화 인형』과 『자괴 인형』에게 양쪽 팔을 잡혔다.

미리 정해 뒀을 세련된 움직임이었다. 시계 가게에서도 그랬던가. 아멜리의 지휘하에 부하들은 완벽한 콤비네이션으로 움직였다. 신체 능력이 뛰어나도 혼자서는 대처할 수 없었다.

지비아 혼자서는 어쩔 도리가 없었다.

“마스터. 우선 몇 개를 부러뜨릴까요?”

『연화 인형』이라고 불린 여성이 냉담한 목소리로 말했다.

손끝의 감촉을 즐기듯 지비아의 복부를 어루만지고 있었다. 유방보다 조금 아래쪽.

부러뜨리는 건 갈비뼈인가.

“저는 세 개 부러뜨리고 싶어요. 저번에는 『자괴 인형』이 두 개 더 많이 부러뜨렸어요.”

“아뇨, 『연화 인형』은 솜씨가 없어요. 폐에 구멍을 뚫은 적도 있어요.”

『자괴 인형』이라고 불린 소년이 불만스러운 듯 끼어들었다.

「마스터, 제게 세 개를」 하고 『연화 인형』이 말했다.

「마스터, 제게 네 개를」 하고 『자괴 인형』이 말했다.

지비아의 왼쪽에서 『연화 인형』의 목소리가, 오른쪽에서 『자괴 인형』의 목소리가, 마치 번갈아 노래하듯 좌우에서 전달되었다.

“이 녀석은 건방지니까.” “저도 그렇게 생각하니까.”

"현실을 알아야 해요." "가르쳐 줘야 해요."
"무모한 스파이." "부끄러운 스파이."
"동료가 살해당한 걸 알고. "필사적으로 달려와서."
"3주간 변변한 성과도 없이." "꼴사납게 기어 다니다가."
"잡혔어요." "고문 끝에 죽어요."
"『봉황』과 같이 묻어 줄게요." "그 녀석들과 같은 미숙자."
"황태자님을 암살하려고 한 쓰레기" "실패했지만."
"그리고 살해당했어요." "간단히 살해당했어."
"내부 분열? 항쟁? 사고?" "진실을 아는 건『뜬구름』뿐."
"그 정보를 얻고 싶으니까." "마스터의 분부대로."

""—좌우 동시에 뼈를 부숴 줄게, 손님.""

두 사람이 동시에 깔깔거리며 불쾌하게 웃었다.

그들의 손에는 커다란 쇠망치가 들려 있었다. 지비아에게 보여 주듯 치켜들었다.

아멜리는 재미없다는 듯 고했다.

"아쉽게도— 새로운 손님이 온 것 같아요."

공기가 얼어붙는 것 같은 차가운 살기가 전해졌다.

가학적으로 웃던『연화 인형』과『자괴 인형』의 얼굴이 굳었다. 지비아의 팔을 잽싸게 놓고 경계했다.

"내 부하를 상당히 괴롭히고 있는 모양이야."

클라우스였다.

『등불』의 보스가 성난 기색을 드러내며 신문실에 들어와 있었다.

아멜리를 제외한 『배리어스』의 첩보원들이 뒷걸음질 쳤다. 이름을 밝히지 않아도 클라우스가 누군지는 파악하고 있는 것 같았다.

「보스……!」 하고 지비아도 외쳤다.

클라우스가 고개를 끄덕이고 지비아 옆으로 걸어왔다.

『연화 인형』과 『자괴 인형』이 물러나 아멜리를 지키듯 섰다.

아멜리는 우아한 동작으로 가볍게 인사했다.

"이렇게 만나는 건 처음이네요. 『화톳불』 씨. 저는 펜드 연방 첩보 기관 CIM의 방첩 전문 부대 『배리어스』의 마스터, 『조종자』 아멜리라고 해요."

"나를 아나?"

"『세계 최강의 스파이』라고 자부하는 특이한 분이라는 소문은 들었죠."

"……스파이답지 않은 명성을 얻어 버렸군."

클라우스는 한숨을 쉬었다.

"뭐, 좋아. 조종자, 내 부하를 풀어 줘야겠어."

"거절하겠어요. 『봉황』은 황태자 암살 미수 혐의를 받고 있어요. 이 리틀 레이디는 참고인이에요. 저희도 물러날 수 없어요."

"음…… 처음 듣는 얘기인데."

"경우에 따라서는 CIM과 대외정보실의 동맹 관계가 해소되겠죠."

양 팀의 보스가 조용히 서로를 노려보았다.

—지비아는 피부가 얼얼해지는 느낌을 받았다.

클라우스의 목소리가 한층 낮아졌다.

"나는 힘으로 너희를 해치우더라도 딱히 상관없어."

"그만두시죠, 손님. 만약 제 부하를 조금이라도 다치게 하면 CIM과 대외정보실의 적대는 불가피해요. 당신이 아무리 뛰어나더라도 결국 혼자예요. CIM이 총력을 기울여 공화국을 밟으려 하면 나라를 지킬 수 있겠어요?"

반면 아멜리는 부드럽게 미소 지었다.

클라우스는 이상하다는 듯 고개를 갸웃했다.

"이해가 안 가는데."

"음……?"

"여기서 너희를 처리하는 게 왜 양국의 대립을 낳지?"

"당연한 일이잖아요, 손님."

"누가 그걸 보고하지? —전부 여기서 죽을 텐데."

어느새 클라우스는 권총을 들고 있었다.

전에 없이 강렬한 기백을 풍기고 있었다. 지비아의 손에 땀이 날 정도로.

틀림없는 진실을 말하는 것처럼 목소리는 전혀 떨리지 않았다. 클라우스는 건물 안에 있는 인간을 몰살하고 유유히 밖에 나갈 수 있다고 주장하고 있었다.

"……."

아멜리는 표정을 바꾸지 않았다.

모두가 숨을 멈출 만큼 긴장된 분위기가 흘렀다.

먼저 시선을 뗀 사람은 클라우스였다.

"……뭐, 좋아. 나도 죽이고 싶은 건 아니야."

클라우스는 지비아 쪽으로 몸을 돌리고 어깨에 묻은 먼지를 털었다. 「극상이야. 시간을 잘 끌었어」 하고 말하면서.

"방금 그건 협박이었나요?"

아멜리가 비웃는 시선을 보냈다.

"다시 말씀드리죠. 당신이 아무리 뛰어나도 결국 혼자. 우리를 섬멸할 수는 없어요. 전원 뿔뿔이 도주해서 상층부에 당신의 흉행을 보고할 따름이에요."

"……."

클라우스는 재미없다는 시선을 보냈다.

"평범한 허세네요."

아멜리가 냉소했다.

"만약 그 소녀를 데려가려고 하면 저희는 저항할 거예요. 무력을 써서."

"무의미한 싸움은 벌이지 마. 나도 지비아도 『뜬구름』 란의 소식은 몰라. 황태자 암살 미수 혐의 같은 건 처음 들었어."

클라우스는 고개를 가로저었다.

"우리를 고문해 봤자 아무런 정보도 안 나와. 그래도 나랑 목숨 걸고 싸울 건가?"

"……."

"그보다도 우리는— 협력해야 하지 않을까?"

"협력?"

아멜리는 의외라는 것처럼 눈을 가늘게 떴다.

클라우스가 말을 이었다.

"너희는 황태자 암살 미수의 용의자인 『뜬구름』을 잡고 싶고. 우리는 『봉황』의 유일한 생존자인 『뜬구름』에게서 사정을 듣고 싶어. 우리의 목적은 같아. —『뜬구름』 란을 발견하는 것. 아니야?"

"그렇군요. 그게 당신의 주장인가요."

아멜리가 입가에 손을 올렸다.

"거절한다면 나도 부하를 지키기 위해 총을 들 수밖에 없어. 내 말이 허세인지 아닌지 시험해 볼 건가?"

클라우스가 차분한 어조로 위협했다.

지비아는 옆에서 들으며 감탄했다. 어쩌다 보니 대립했지만, 서로의 주장은 같았다. 『뜬구름』 란은 어디 있는가.

너무나도 강한 클라우스의 존재가 일방적인 고문을 대등한 교섭으로 바꿔 나갔다.

아멜리의 반응을 보니 클라우스가 무지막지하게 강하다는 건 널리 알려져 있는 듯했다. 스파이로서 좋다고는 할 수 없는 일이지만.

상대의 소망을 잘 이용하는 티아와는 다른— 파워형 교섭술이었다.

아멜리는 넘어진 의자를 세우고 깊이 앉았다.

부하 한 명이 새로 홍차를 가져왔다.

잔은 하나뿐이었다.

BOOKS
스파이 교실 06
©Takemachi, Tomari 2021
KADOKAWA CORPORATION
[NOT FOR SALE]

우유가 듬뿍 들었을 갈색이 도는 유백색 액체를 맛있게 마시고서 아멜리는 슬며시 미소 지었다.

"—거절하겠어요."

강하게 잘라 말했다.

"저희도 딘 공화국과 싸우고 싶지는 않아요. 하지만 저희는 이미 대등하지 않아요. 『봉황』은 중대 범죄를 저지르려 했다는 혐의를 받고 있어요. 저희는 그걸 세간에 공표할 수 있어요. **당신이 우리에게 일방적으로 봉사한다.** —받아들일 수 있는 조건은 그것뿐이에요."

"상관없어."

클라우스는 짧게 대답했다.

"어차피 똑같아."

◇◇◇

한 시간 후, 티아가 신문실을 찾아왔다.

『등불』의 일원으로 평소에는 지휘를 담당하는 소녀였다. 굴곡이 확실한 고아한 자태와 아름다운 흑발이 특징적이었다. 코드 네임은 『몽어』. 펜드 연방에서는 나이트클럽에 잠입해 있었다.

티아는 어떤 역할 때문에 불려 왔다.

"티아, 미안."

지비아가 말했다.

"괜찮아. 이런 일을 하려고 내가 있는 거니까."

티아는 어깨를 으쓱였다.

"란을 찾아 줘. 지금쯤 『외롭소』 하고 외치고 있을 거야."

"상상이 엄청 잘 되네."

가볍게 하이파이브하고서 지비아는 신문실을 나갔다.

대신 신문실에 들어온 티아의 양팔과 목에 구속구가 채워졌다. 두꺼운 쇠고랑에 달린 사슬이 신문실 벽에 연결되어 있었다. 그걸 보고 티아는 일순 괴로운 듯 입술을 깨물었지만, 금세 미소 지으며 「가끔은 구속 플레이도 나쁘지 않지」 하고 농담했다.

"확인했습니다."

아멜리가 만족스럽게 고개를 끄덕였다.

"24시간 내로 『뜬구름』을 찾지 못한다면 인질을 죽이겠어요."

아멜리가 제시한 조건이었다.

—수사할 거면 동료를 인질로 내놓을 것.

클라우스가 도망치지 못하게 하는 보험이었다. 클라우스가 도망치거나 반항적인 태도를 보이면 인질은 죽는다.

티아는 인질이었다.

위험한 역할을 티아는 받아들여 줬다.

"우리 『배리어스』와 함께 수사해 주셔야겠어요, 손님."

아멜리는 즐겁게 말했다.

이어서 『연화 인형』이라는 여성과 『자괴 인형』이라는 소년이 웃었다.

"보조하겠어요." "묵묵히 일하세요."

"마스터를 위해." "마스터를 위해."

""닥치고 따라요, 손님.""

고딕 옷을 입은 여성 마스터, 수녀복을 입은 여성 부관과 실크해트를 쓴 소년 부관. 뒤에는 검은 옷을 입은 십여 명의 부하들.

냉정하게 보면 상당히 별난 기관이었다.

—펜드 연방의 첩보 기관 CIM의 방첩 전문 부대『배리어스』.

—딘 공화국의 첩보 기관 대외정보실의 신진기예 팀『등불』.

두 팀의 합동 수사가 시작되려고 했다.

목적은 황태자 암살 혐의를 받고 있는 스파이『뜬구름』란 수색.

"미안. 일이 이상하게 꼬여 버렸어."

지비아는 돌려받은 권총을 옷 속에 숨기며 클라우스 옆에 섰다.

"상관없어. 수사가 막힌 상황이었으니 원래부터 CIM과 접촉할 필요가 있었어."

클라우스는 다정한 음성으로 말했다.

"거듭 말하지만, 내가 올 때까지 잘 버텨 줘어."

"참는 건 익숙해. 두 번은 사양이지만."

클라우스는 작게 고개를 끄덕였다.

"그럼 착수하자. 가슴 아린 슬픔을 짊어지고서."

그래, 하고 중얼거렸다.『봉황』의 원통함을 풀기 위해 자신들은 이곳에 있었다.

지비아는 클라우스의 어깨를 툭 치고서 앞으로 나갔다.

아픔을 짊어지고『등불』은 움직인다.

그것은 펜드 연방 땅에서 시작되는—『봉황』을 추도하는 싸움이었다.

2장 수색

탈의실을 나오니 차가운 공기가 몸을 어루만졌다.

사라는 수건으로 머리를 닦으며 주방으로 향했다. 냉장고에서 우유병을 꺼내 조금씩 마셨다. 강아지 조니가 자기도 마시고 싶다는 듯 쳐다봤지만 「배탈 납다」 하고 상냥하게 타일렀다.

씻고 나서 바로 머리를 말리지 않으면 곱슬머리가 악화된다.

곧장 빗을 가지러 가려다가 거실이 눈에 들어왔다. 좁은 아파트에서는 동거인의 행동을 바로 알 수 있었다.

"……."

회분홍 머리 소녀가 소파에 앉아 있었다.

『망아』 아네트. 커다란 안대를 차고 난잡하게 머리를 묶은 기발한 모습을 하고 있었다. 평소에는 떠들썩한 소녀가 지금은 조용히 텔레비전을 보고 있었다.

브라운관 텔레비전에서 마침 뉴스 방송이 나오고 있었다.

《지난달 다린 황태자 전하를 노린 폭파 테러 사건에 관해—.》

잘생긴 근육질 남자가 화면 속에서 손을 흔들었다.

다린 황태자였다. 라이볼트 여왕의 첫째 아들로, 언젠가 펜드 연방을 대표하는 왕이 될 남자.

뉴스는 먼저 사건의 개요를 말했다.

《다린 님께서 국립 물리 연구 센터를 방문하신 날, 센터에서 수상한 짐이 발견되었고, 직원이 건드리자 폭발. 두 명이 죽고 열 명이 크게 다쳤습니다. 경찰 당국은 온 힘을 다해 범인을 수색하고 있으며—.》

범인은 여전히 찾지 못했다.

그 사실도 포함해서 온 나라를 뒤흔드는 빅뉴스였다.

뉴스 캐스터는 국민의 목소리를 대변했다. 테러리스트에 대한 분노, 범인을 못 찾았다는 불안. 다린 황태자는 국민에게 매우 인기 있었다. 종전 후 외교 행사에는 반드시 얼굴을 내비치며 세계 각국과 우호 관계를 구축했다.

《다린 님은 대학 시절에 물리학을 전공하셨고 아주 우수한 성적을 거두셨습니다. 이번 방문은 학우를 포함한 국내 연구자를 격려하기 위해—.》

이어서 황태자의 프로필을 포함한 내용이 나왔다.

사라는 힘없이 중얼거렸다.

"……대체 이 나라에서 무슨 일이 일어나고 있는 걸까요?"

황태자가 죽을 뻔하고, 동포가 목숨을 잃은 나라.

그 두 가지가 연관이 있다고 생각하기는 싫지만—.

'불안함다…….'

심장이 쪼그라드는 기분이었다.

'이 나라…… 무섭습다…….'

자신들보다 훨씬 뛰어났던 『봉황』이 괴멸했다. 그 사실이 사라의 체온을 앗아 갔다. 막 샤워하고 나왔는데도 으스스했다.

저도 모르게 몸을 꽉 끌어안았다.

"나님!"

아네트가 갑자기 말했다.

"이 아저씨가 신경 쓰여요!"

"네?"

"뭔가 근질근질해요!"

아네트는 텔레비전에서 눈을 떼지 않았다. 다린 황태자에게 관심이 있는 것 같았다.

사라는 고개를 갸웃했다.

"무, 무슨 뜻임까……?"

아네트는 질문에 답하지 않았다. 그저 잡아먹을 듯이 화면을 바라보고 있었다. 그 오른쪽 눈에 무엇을 담고 있는 걸까.

사라는 아네트가 손장난을 치고 있다는 걸 눈치챘다.

'란 선배의 실…….'

아네트는 텔레비전을 보며 실뜨기를 하고 있었다. 사용 중인 건 특제 실이었다. 가늘고 유연하고 단단했다. 『봉황』 멤버인 『뜬구름』 란이 쓰던 무기였다.

의외였다.

'아네트 선배도 역시 『봉황』을 좋아했던 걸까요……?'

사라는 돌이켜 보았다.

자신과 아네트가 체험한 밀월을.

◆◆◆

—밀월 10일째.

떠들썩하게 시작된 『등불』과 『봉황』의 교류는 한 가지 문제를 안고 있었다.

아네트와 란의 관계였다.

이전에 롱칭에서 란은 아네트를 「꼬마」라고 부른 모양이었다. 자신의 키에 콤플렉스가 있는 아네트는 격노했다. 란을 가차 없이 때려잡고 반라로 벗겨 무릎까지 꿇렸다.

하지만 그러고도 아네트는 란을 용서하지 않은 것 같았다.

란이 아지랑이 팰리스에 오면 아네트는 즉각 그녀를 포획하려고 했다. 란은 힘껏 도주했고, 겸사겸사 물건을 파괴했다. 이 말썽은 『등불』과 『봉황』 모두에게 민폐였다.

그런고로 밀월 10일째에 대화 자리가 마련되었다.

아지랑이 팰리스의 홀에서 어떤 인물이 사라와 아네트에게 머리를 숙였다.

"부탁할게. 슬슬 란을 용서해 주지 않을래?"

『고익』 큐르.

비취색 머리를 뒤로 묶어 포니테일을 만들고 커다란 안경을 쓴 소녀였다. 『봉황』에서는 비교적 상식적인 인물로, 이래저래 조정하는 역할을 맡고 있었다.

큐르가 미안한 듯 아네트 앞에서 양손을 맞댔다.

얼굴이 새빨개진 릴리가 팔을 휘젓기 시작했다.
"제가 마음만 먹으면 마비 가스로 방을 가득 채우는 것도—."
"에르나, 테이블에 올라갈 거야!"
품에서 도구를 꺼내려고 하는 릴리에게 에르나가 재빨리 달려들었다.
"응?"
하지만 도중에 에르나의 치마가 테이블 모서리에 걸렸다. 넘어지려고 하는 에르나를 도와주려고 지비아가 몸을 내밀었고, 테이블이 크게 기울어지며 완성 직전이었던 구체 퍼즐이 넘어졌고, 아네트가 퍼즐을 잡으려고 팔을 뻗었고, 릴리는 에르나의 공격을 피하려고 몸을 젖히면서—.
""""우오오오오오오오오!""""
요란한 소리를 내며 네 사람은 테이블과 함께 넘어졌다. 대형 충돌 사고였다. 조각이 온 방에 흩어지고, 서로 부딪친 네 사람은 포개지듯 쓰러졌다.
세 소녀 밑에 깔리게 된 릴리가 바닥에 찧은 머리를 문질렀다.
"아야야…… 헉, 퍼즐은?"
"이게 뭐야. 입체 퍼즐?"
으스대는 목소리가 들렸다.
어느새 모니카가 홀에 와 있었다. 바닥에 굴러다니는 퍼즐을 주워서 재미있다는 듯 들고 있었다. 지나가던 길인 것 같았다. 쓰러져 있는 소녀들에게는 눈길도 주지 않고 흩어진 퍼즐을 맞추기 시작했다.
"흐응, 간단하잖아. 근데 조각이 부족하지 않아?"
"모니카 선배, 여기 떨어져 있습다."
이어서 홀에 나타난 사라가 모니카를 향해 손을 흔들었다. 그녀 옆에는 매와 강아지가 있었는데 두 마리 모두 조각을 물고 있었다. 사라는 동물들에게 조각을 받아 손수건으로 침을 닦고 모니카에게 건넸다.
"조니 씨와 버나드 씨가 찾아 줬습다. 여기요."
"응, 감사. ……자, 완성했다. 그런데 이 디저트는 뭐야? 경품? 받아 갈게. 사라, 너도 먹어."
모니카는 단호하게 카늘레 두 개를 채 가더니 하나를 사라에게 주고 떠났다. 사라는 「아, 감사함다」 하고 고개를 숙인 후 모니카를 뒤따랐다.
""""…………."""
남겨진 릴리, 지비아, 에르나, 아네트는 그 뒷모습을 지켜볼 수밖에 없었다.
만능인 모니카, 그리고 본인이 생각하는 것보다 훨씬 우수한 사라의 서포트.
비상사태 때의 릴리와 지비아의 폭발력을 고려하지 않는다면 평소에 가장 우수한 페어는 「모니카 · 사라」 팀일지도 모른다.

L BOOKS

스파이 교실 06 《백귀》의 지비아
발매 기념 초판 한정 특전

「왜 큐르 선배가?」 하고 사라가 물었다.

"란이 직접 말을 걸면 아네트는 바로 죽이려 들잖아?"

"그리고 저는 왜 동석한 검까?"

"……미안. 아네트랑 직접 대화할 자신이 없었어."

큐르가 지친 표정을 지었다. 이미 대화를 시도했으나 실패로 끝난 듯했다.

아네트는 사라 옆에서 뺨을 부풀리고 있었다.

"나님! 뭐라고 하든 용서할 마음 없어요!"

팔짱을 끼고 고개를 팽 돌렸다.

큐르는 과자를 내밀며 「에이, 그러지 말고」 하고 미소 지었다.

과자에는 끌렸는지 아네트도 「응?」 하고 얼굴을 돌렸다.

옳다구나 하고 큐르가 즉각 말을 이었다.

"응, 본인도 굉장히 반성하고 있어. 웬일로 인기 있는 가게의 쿠키까지 준비했더라고. 아네트에게 정말로 실례되는 말을 했다면서."

"음? 그 녀석이 말인가요?"

"응. 그러니까 화해할 수 없을까?"

큐르가 간청하듯 말했다.

사라도 바로 거들었다.

"아네트 선배, 저도 부탁드리겠습니다."

사라는 아네트의 등에 손을 얹었다.

어린아이 같고, 때때로 도를 넘은 과격한 행동을 하기도 하지만, 결코 정이 없지는 않다는 것을 알고 있었다.

"……"

아네트는 사라의 얼굴과 건네받은 쿠키를 번갈아 보고서 입술을 삐죽 내밀었다.

"있지, 계획도 생각해 뒀어."

큐르가 즐겁게 양손을 맞댔다.

"여기서 차로 두 시간 거리에 예쁜 폭포가 있거든? 그곳에 두 사람이 함께 가서 정답게 악수하고 화해하는 거야. 그러면 폭포 위에서 대기하던 우리가 『☆축하해☆』라고 적힌 공을 흘려보내 축복을―."

"빈틈 발견이오오오오오오오오오!"

""어?""

갑자기 천장에서 사람이 내려왔다.

연지색 머리의 야무지게 생긴 소녀.

―『뜬구름』 란이었다.

어안이 벙벙해진 사라와 큐르를 무시하고, 손에서 나온 실로 아네트를 묶어 나갔다. 실이 마치 동물처럼 크게 구불거리며 아네트의 사지에 감겼다.

나타나는 순간까지 기척이 없었다.

"하하! 이게 바로 소생의 사기술―『은밀』이오!"

란은 실을 교묘하게 조종하며 소리 높여 웃었다.

"소생의 특기인 『포박』과의 조합이지! 처음 당하고서 대처할 수는 없을 것이오!"

실은 이미 아네트를 완전히 구속하고 있었다.

목부터 발끝까지 완벽하게 묶었다.

"으, 으음."

옆에서 큐르가 미간을 짚었다.

"뭐 하는 거야? 란."

"속여서 미안하오, 큐르 언니. 이래야만 이 악마를 붙잡을 수 있었소."

"아, 응……."

"이야~ 훌륭했소. 제정신인가 싶을 만큼 썰렁했던 화해 계획. 사라 공도 얼이 빠져 있었소. 괴멸적으로 센스가 없는 그 제안은 일부러 그런 것이겠지."

"……어? 세, 센스 없었어?"

눈을 크게 뜨고 굳은 큐르는 이내 「……밤새 진지하게 생각한 건데」 하고 어깨를 떨궜다. 안경알 너머로 보이는 눈이 탁해진 것 같았다.

"자! 망할 꼬맹이! 이건 너도 도망칠 수 없을 것이오!"

대조적으로 란은 기분이 좋았다.

실로 둘둘 감긴 아네트 앞에서 소리 높여 웃고 있었다.

"각오하시오! 지금부터 능욕 시간이오! 이제껏 쌓인 울분을 백배로 갚아 주고, 계속해서 『꼬마』라고 불러 주겠—."

말은 중간에 끊겼다.

아네트의 옷에서 튀어나온 날붙이가 실을 잘라 냈다.

"엥……?"

"나님, 이럴 줄 알았어요!"

아네트가 몸을 흔들자 치마에서 수많은 단검과 드릴이 떨어졌다.

미리 대책을 세워 둔 것 같았다.

아네트는 제일 큰 드릴을 줍고 전원을 켰다. 인체 따위 간단히 관통할 드릴이 위이이이이이이잉 하고 큰 소리를 내며 회전하기 시작했다.

"힉!"

란의 얼굴이 굳었다.

"나님, 두 번이나 목숨 구걸을 들어줄 만큼 착하지 않아요."

"미안하오오오오오오오오!"

란이 도주했다. 아네트도 란을 쫓아 드릴을 들고서 달렸다. 복도 창문이 깨지는 소리가 울렸고, 「일일이 부수지 마!」라는 모니카의 고함도 들렸다.

홀에는 사라와 큐르만 남겨졌다.

"……사라, 정말 미안."

"아뇨…… 괜찮습다……."

두 사람은 촌극에 동원됐을 뿐이었다.

"저기, 사라. 우리 친하게 지내지 않을래? 비슷한 느낌이 들어."

큐르가 몹시 지친 얼굴로 말했다.

"애초에 『등불』에도 『봉황』에도 말이 통할 것 같은 사람이 없어……. 진짜로……. 어쩜 이리 귀찮은 녀석들이 다 있는지……."

그 불쌍한 눈을 마주하니 역시 거절할 수 없었다.

이후 사라와 큐르는 잡담 동료가 되었다. 80% 이상은 큐르가 지친 얼굴로 「사라, 내 얘기 좀 들어 줘, 사라!」 하고 동료에 관해 푸념할 뿐이었지만. 빈드랑 란이 말을 안 들어, 빅스와 팔마의 무단 외출이 끊이질 않아, 크노가 무슨 생각을 하는지 모르겠어, 『등불』 애들이 나보고 센스가 없대 등등.

말하자면 큐르는 『봉황』의 조정자 역할인 것 같았다.

멤버 전원의 자존심이 높고, 지난달까지 보스가 없었던 『봉황』이 분열되지 않은 것은 전적으로 큐르의 수완이었다.

—무수한 고생을 떠맡는 근면하고 명민한 『봉황』의 두뇌.

『고익』 큐르.

◆◆◆

아네트가 뭐라고 중얼거렸다.

사라는 「네?」 하고 반문했다. 생각에 빠져서 듣지 못했다.

『봉황』이 괴멸했다는 소식을 듣고 시간이 꽤 흘렀으나 사라의 마음은 여전히 아픔을 품고 있었다. 비탄에 잠겨 있을 때가 아니라는 건 알지만, 긴장을 늦추면 문득 그들의 웃는 얼굴이 떠올랐다.

"안개가."

아네트가 다시 한번 말했다.

"짙어졌어요!"

"네? 아, 그러네요."

사라는 맞장구쳤다.

창밖의 거리에 희뿌옇게 안개가 끼고 있었다.

그러자 아네트가 벌떡 일어났다.

"나님, 잠깐 나갔다 올게요!"

"네?"

아네트는 콧노래를 흥얼거리며 깜짝 놀라는 사라 옆을 지나쳤다. 손으로 실뜨기를 하면서 말이다.

이미 심야 두 시를 넘긴 시간이었다.

아네트는 떠나면서 즐겁게 말했다.

"클라우스 형님에게 밀명을 받았어요!"

그 내용을 사라가 묻기 전에 아네트는 현관을 뛰쳐나가 안개 속으로 사라졌다.

◇◇◇

휴로의 거리는 짙은 안개에 휩싸여 있었다.

차창으로 보이는 야경은 연기에 덮인 것처럼 하얗게 탁해져 있었다.

최근에는 밤마다 발생한다고 했다. 원인은 대기 오염일 것이다. 공장에서 태워진 석탄은 매연이 되어 공기에 녹아든다. 디젤차에서 발생하는 아황산 가스도 지표 근처에 체류한다. 그것이 안개가 되어 시야를 덮었다.

펜드 연방은 세계 유수의 공업국이다.

『산업 혁명』 이후로 수도 휴로 근교에는 대형 공장이 여러 개 지어졌고, 전세기에는 『세계의 공장』이란 말도 들었다. 세계 대전으로 피폐해진 뒤로는 다른 대륙의 무자이아 합중국에 그 이름을 넘겼지만, 여전히 수도 근교에는 많은 공장이 늘어서 있었다.

또한 반대로 대기 오염이 심각해진 상태였다.

휴로의 안개는 무겁고, 짙고, 깊다.

특히 국회 의사당 주변은 밤이 되면 한 치 앞도 안 보일 만큼 안개가 꼈다.

"그나저나—."

승용차 뒷좌석에 앉은 지비아가 투덜거렸다.

"휴로의 안개는 원래 이렇게 짙어?"

""시끄러워요.""

대답은 두 방향에서 동시에 나왔다.

지비아 옆에 앉아 있는, 수녀복 차림의 자상하게 생긴 여성—『연화 인형』.

운전석에서 핸들을 쥔, 검은 실크해트와 정장 차림의 소년—『자괴 인형』.

『배리어스』의 두 부관이었다. 그들은 지비아를 포위하듯 위치를 잡고서 어딘가로 연행하고 있었다. 후방에서도 『배리어스』의 차가 한 대 더 쫓아오고 있었다.

"딱히 헐뜯는 건 아니야."

지비아는 손을 내저었다.

"그저 이렇게 안개 낀 밤에 운전하는 게 무섭지 않을까 해서."

"익숙한 일이에요." "서행 중이고요."

"흐응."

"네가 걱정할 건 아니에요." "안개에 숨어서 도망쳐도 소용없어요."

두 부관은 호흡을 척척 맞춰 발언했다.

나이도 성별도 다르고 남매처럼 보이지도 않았다. 생판 남남이 환상의 호흡으로 발언하는 건 꽤 이상했다.

지비아는 양손을 뒤통수에 올리고 다리를 꼬았다.

"뭐, 안전하다면 상관없지만—."

쿵, 하고 둔탁한 소리가 났다.

차체가 흔들리며 급제동이 걸렸다.

""""…………""""

긴 침묵이 흘렀다.

안개 때문에 잘 안 보이지만, 전방에 뭔가가 나타났던 것 같았다.

"방금 뭔가 치지 않았어?"

""글쎄요……?""

지비아가 비명을 질렀고, 부관 두 명이 고개를 갸웃했다.

운전하던 소년—『자괴 인형』이 일단 차에서 내렸다가 곧장 돌아와 「가로수 가지였어요. 부러진 거겠죠」 하고 보고했다. 『연화 인형』이 「그럼 다행이에요」 하고 무표정으로 중얼거렸고, 그 후 아무 일도 없었던 것처럼 운전을 재개했다.

리듬을 어그러뜨리는 데 탁월한 재능이 있는 두 사람이었다.
이윽고 차는 테레코강 옆에 있는 건물 앞에서 멈췄다.
"도착했어요, 손님." "우리가 찾은 『봉황』의 아지트예요."
두 부관에게 설명받고 지비아는 차에서 내렸다. 찌그러진 보닛을 만지고 나서 건물에 들어갔다.
『봉황』의 거점은 플랫이라고 불리는 집합 주택이었다.
산업 혁명 직후, 수도 휴로 근교에 기계 공장이 빽빽이 들어서며 휴로의 인구가 폭증한 시절이 있었다. 한때는 좁은 집에 일고여덟 명이 동거할 만큼 주거 환경이 열악했다고 한다. 약 100년의 세월이 흐르며 개선되었다고 하지만, 건물은 좁고 어둡고 퀴퀴했다.
『봉황』은 7층짜리 플랫의 2층 끝에 있는 집을 거점으로 삼았던 것 같았다.
"여기가 그 녀석들이 잠복했던 곳인가……."
지비아가 낮게 말했다.
문을 열었다.
침대와 캐비닛 말고는 아무것도 없었다. 거의 빈방이었다.
"개인 물건은 이미 회수했어요."
『연화 인형』이 해설했다.
"손님이 보기에 단서가 있나요? 확인해 주세요."
지비아는 방을 물색했다.
하지만 찾을 만한 곳은 전혀 없었다. 『봉황』의 소지품은 전부 치워졌고, 집의 넓이도 30㎡ 정도밖에 안 됐다. 일단 가구 뒤쪽을 찾아 나갔다.

"음— 이건?"

지비아가 침대 밑에 손을 넣자 뭔가가 툭 굴러가는 소리가 났다. 잡아서 꺼내 보니 두꺼운 만년필이 손안에 있었다.

"아직도 개인 물건이 남아 있었나요."

『자괴 인형』이 걸어와 그걸 휙 뺏었다.

"혹시 모르니까 회수해 두겠습니다."

"이봐. 내가 아직 확인을—."

지비아가 언성을 높이며 팔을 뻗었을 때였다.

두 사람의 그림자가 동시에 움직였다. 여성의 그림자가 휘감듯 지비아의 팔을 잡았고 소년의 그림자가 지비아의 목에 감겼다.

재빠른 솜씨였다.

눈 깜짝할 사이에 제압당했다.

"아까부터." "시끄러워요, 손님."

좌우에서 위협적인 목소리가 들렸다.

"—윽!"

몸을 고정당한 지비아는 신음할 수밖에 없었다.

'역시 이 녀석들도 보통내기가 아니야……!'

그들도 『조종자』와 함께 많은 스파이를 포박하고 자국을 지켜 온 일류 플레이어였다. 그림자 전쟁의 제일선에서 움직이는 실력자였다.

「우리는 결코 아군이 아니에요. 잊지 마시길」 하고 『연화 인형』이 중얼거렸다.

「당신을 죽이는 것 정도는 간단해요」 하고 『자괴 인형』이 중얼거렸다.

"아멜리 님이 움직임을 보고." "당신의 실력을 추측하셨어요."

"삼류예요." "우스울 정도로 약해요."

"스파이를 해치운 적은 있나요?" "없겠죠."

"다소 폭력을 잘 쓰는 일반인." "암살 기술이 주입된 일반인."

"혹은 여러 동료와 함께 싸워야." "비로소 한 명 쓰러뜨리겠죠."

"당신의 수준은 그 정도라고." "아멜리 님은 간파하셨어요."

"즉, 우리가 보기에." "일류인 우리가 보기에."

""너는 보잘것없는 삼류 스파이.""

지비아는 무심코 혀를 찼다.

두 사람이 귓가에 속삭인 분석은 틀림없는 진실이었다.

지비아를 포함해 『등불』 멤버 대다수는 혼자 힘으로 적 스파이를 쓰러뜨린 적이 없었다. 실적이라고는 여럿이서 『시체』의 제자를 쓰러뜨린 것과 『보라개미』에게 지배당한 일반인을 타도한 게 다였다.

소녀들은 최전선에서 싸우는 스파이에게 이긴 적이 한 번도 없었다. 『봉황』에게도 패배를 맛보았다.

하지만 놀라운 건— 잠깐 대화하고서 그걸 간파한 아멜리의 분석력이었다.

단순한 추리가 아닐 것이다. 클라우스와 똑같은 원리다. 방대한 경험을 토대로 단련된 직감이 논리를 뛰어넘어 진실에 도달했다.

『연화 인형』과 『자괴 인형』 수준의 실력자가 충성을 맹세하는 것도 납득이 갔다.

"……그러냐."

지비아가 힘없이 중얼거리자 해방되었다.

그대로 바닥에 엉덩방아를 찧었다.

결국 만년필은 되찾지 못했다. 「이 손님은 손버릇이 나쁘니까요」 하고 중얼거린 『자괴 인형』이 『연화 인형』에게 만년필을 넘겼다.

만년필을 받은 여성은 「본부에 연락해 두겠습니다」 하고 자리를 떴다.

지비아는 한숨을 쉬고 고개를 가로저었다.

"슬픈가요?"

『자괴 인형』이 중얼거렸다.

"엉?"

지비아가 그를 올려다보았다.

소년은 실크해트를 벗어 손으로 빙글빙글 돌리고 있었다.

"동포를 잃어서 얼마나 괴로운지 묻는 거예요. 매일같이 베개를 눈물로 적실 만큼? 애인이라도 있었나요?"

"……갑자기 뭐야?"

"지금은 적대 관계지만— 전부 끝나면 얘기 정도는 들어 줄게요."

소년이 다시 모자를 썼다.

"물론 지금은 그럴 여유가 없지만요. 다린 님을 지키는 게 최우선이에요. 그러니 빠릿빠릿하게 일하라는 거예요."

"……."

그건 대체 어떤 마음으로 한 말일까.

'……알 수 없는 녀석들이야.'

기분이 이상했지만 어쨌든 작은 목소리로 알았다고 대답했다.

그 타이밍에 『연화 인형』이 돌아왔다.

"방금 새로운 지령이 도착했어요."

그녀는 우선 파트너인 『자괴 인형』에게 귓속말했다. 소년이 「그렇군요」 하고 고개를 끄덕였고, 두 사람은 나란히 지비아를 보았다.

"다음 미션이에요, 손님."

『자괴 인형』이 수상쩍게 웃었다.

"그래, 대체 뭔데? 란을 찾기 위해서라면—."

"—벗어."

"……."

""벗으라고.""

두 부관이 예상치 못한 말을 꺼냈다.

"응응응응응? 응?? 응응응응응응응응응응응응응?"

◇◇◇

시간은 거슬러 올라가 30분 전—.

클라우스와 아멜리도 승용차를 타고서 펜드 연방 교외로 이동 중이었다. 뒷좌석에 나란히 앉아 서로 정면만 보고 있었다.

"저희의 최우선 임무는 다린 황태자 전하를 지키는 거예요."

아멜리가 담담한 어조로 설명했다.

"이 나라에 있어 태양 같은 분이에요. 다린 님에게 위해를 가하려 드는 자는 즉시 잡아야 해요. 그게 저희의 사명이에요."

"그리고 황태자를 노리는 용의자가 『봉황』이고 란인가."

클라우스는 불만스러운 얼굴로 대답했다.

"말도 안 되는 소리야. 딘 공화국은 다린 황태자를 암살할 동기가 없어."

"그럼 왜 『봉황』은 다린 님을 습격한 거죠?"

"그 전제가 잘못된 거겠지. 증거를 보여 봐."

"거절하겠어요."

"……뭐, 좋아. 어쨌든 란은 한시라도 빨리 찾아야 해. 흑막은 따로 있어. 황태자를 지키기 위해서도 란에게 진실을 듣는 편이 좋아."

"자기 좋을 대로 생각한 억측인 것 같은데요."

"과연 어떨까."

"뭐, 상관없어요. 바로 『뜬구름』을 잡겠어요. ─다시 황태자님을 습격하기 전에."

아멜리는 차갑게 잘라 말했고, 클라우스는 고개를 가로저었다.

서로 속을 떠보는 듯한 시간이 이어지는 동안 차는 산길로 들어갔다. 한동안 비탈길을 오르자 이윽고 탁 트인 곳에 도착했다.

수도를 내려다보듯 우뚝 선 산의 중턱에 덩그러니 정비된 땅이 있었다. 평평한 땅에 간소한 2층 건물이 서 있고, 굴착기와 기중기차 등의 중장비가 놓여 있었다.

클라우스는 해설했다.

"리조트 호텔 건축 예정지였던 것 같아. 정비 도중에 계획이 중단되어 4년 가까이 방치됐어. 건물은 공사할 때 지어진 관리 사무소야."

아멜리는 차에서 내리며 감탄하듯 중얼거렸다.

"이런 인적 없는 산속에—."

"그래."

클라우스가 동의했다.

"딘 공화국의 통신소야."

아멜리는 부하 다섯 명과 함께 관리 사무소에 들어갔다.

목적지는 2층 끝에 있는 방이었다. 사무실로 쓰이던 곳을 지나자 문이 있었다.

문은 잠겨 있었다.

클라우스가 가지고 있던 열쇠로 문을 열었다.

작은 방에 거대한 통신기가 놓여 있었다. 램프가 빨갛게 깜빡였다. 전기가 들어오고 있었다. 전등 스위치를 건드리자 조명이 실내를 밝혔다.

아멜리가 중얼거렸다.

"여기서 『뜬구름』의 마지막 통신이 있었던 거죠?"

"그래."

무리의 제일 뒤쪽에서 클라우스가 대답했다.

"『자신을 제외한 전원이 살해당했다』라고 연락책에게 보고했어.

이후 란과는 연락이 안 돼. 마침내 소식을 알아낸 곳이 너희가 지비아를 잡은 시계 가게야."

아멜리의 부하가 통신실을 물색하기 시작했다.

그러는 동안 아멜리는 클라우스 옆에 딱 붙어 있었다. 그녀는 양손에 장갑을 끼고 통신기를 만지며 고개를 갸웃했다.

"……모래? 아뇨, 빵 부스러기일까요……."

통신기 표면에 빵 부스러기가 잔뜩 뿌려져 있었다.

"그리고 종이가 붙어 있는데……『뜬구름』의 필적과는 다르네요."

통신기 앞에 커다란 종이가 붙어 있었다.

〈최대한 참기!〉라고 적혀 있었다.

아멜리는 눈썹을 찌푸렸다.

"이 얼빠진 경고문은 뭐죠……?"

클라우스는 「글쎄」 하고 맞장구쳤다.

"란은 기상천외한 녀석이었어. 녀석의 생각은 읽을 수 없어."

"……."

아멜리는 통신기를 응시한 채 움직이지 않았다. 부하에게 의자를 가져오게 한 뒤 앉아서 침묵했다.

클라우스는 그런 스파이의 모습을 가만히 관찰했다.

『배리어스』의 정보는 클라우스도 거의 안 가지고 있었다. 최근 대두한 팀일 것이다. 미타리오에서 보라개미가 날뛴 이후로 스파이계의 정세는 정신없이 바뀌고 있었다.

이 마녀 같은 고스로리녀의 실력은 어느 정도일까.

"냄새가 나네요."

아멜리가 말했다.

"배수구 냄새일까요. 하지만 구석진 곳까지 냄새가 진동하진 않아요. 누군가가 빈번히 드나들며 문을 여닫고 있는 거겠죠."

아멜리는 클라우스를 보았다.

"이곳은 24시간 감시하고 있나요?"

"아니. 도시에서 떨어져 있으니까. 일손도 부족하고."

"그렇군요. ―지금부터 이 통신실은 『배리어스』가 24시간 감시하겠어요."

클라우스에게서 열쇠를 뺏고 부하에게 척척 지시를 내리기 시작했다.

그리고서 아멜리는 다시 통신기 표면을 쓸어내렸다.

"그런데 손님. 『뜬구름』의 프로파일링은―."

"그래, 간단히 전달하―."

"『뜬구름』 란. 16세. 활달하고 밝은 성격이지만 경솔한 언동이 두드러짐. 겁이 많으나 근본적인 부분에는 굳은 신념이 있고, 잠복을 주로 하는 은밀 행동으로 공헌함. ―이게 제 추측인데, 맞죠?"

"……."

이번에는 클라우스도 아연해졌다.

아멜리가 말한 내용은 완벽에 가까운 답이었다.

"정답인가 보네요."

아멜리는 만족스럽게 고개를 끄덕였다.

“『뜬구름』은 주위를 경계하면서 동포와 접촉하고 싶어 해요. 특기인 잠복 기술로 몸을 숨기고서 통신실과 스파이가 모이는 곳을 오가고 있어요. —그게 제 추측이에요.”

“……훌륭해. 나도 비슷한 생각을 하긴 했어. 성과는 좋지 않지만.”

“이 토지를 잘 모르기 때문이겠죠.”

아멜리는 통신실 바닥에 떨어져 있던 작은 쓰레기를 집어 들었다.

1cm쯤 되는 빨간 천 조각이었다.

“클라디네트사의 카펫이에요. 이 소재는 2,000㎡ 이상의 호화 저택에서나 깔아요. 또한 7개월 전부터 쓰인 염료예요. 확인하면 『뜬구름』이 다니는 곳의 범위를 좁힐 수 있겠죠. 뭐, 제가 알기로는 한 곳뿐이지만.”

아멜리는 군더더기 없이 추리를 전개했다.

“〈백로 저택〉— 『뜬구름』은 그곳에 다니고 있을 거예요.”

“……”

일방적으로 말하고서 아멜리는 통신실을 나갔다.

클라우스는 그 뒷모습을 바라보며 평가를 내렸다.

—거의 만점이다.

『조종자』 아멜리는 그림자 전쟁에서 암약하는 일류 플레이어였다.

“손님들에게도 일을 하나 드리죠.”

“음?”

아멜리가 클라우스를 보며 수상쩍은 미소를 지었다. 어딘가 가학적인 분위기를 풍기면서.

"광란의 춤을 춰 주셔야겠어요, 손님."

◇◇◇

〈백로 저택〉은 자산가 데이비드 크리스가 소유한 저택이었다.

대형 공장을 경영해 출세한— 이른바 부르주아인 그는 주말마다 파티를 여는 습관이 있었다. 〈백로 연회〉라고 불리는 파티는 비싼 회비를 내야 하지만 누구나 참가할 수 있어서, 자산가, 정치가, 관료 등 성공한 사람이 200명 넘게 모이는 것으로 유명했다.

메인 이벤트는 사교댄스였다. 입식 형식으로 디너를 즐기는 홀에서 참가자는 오케스트라의 라이브 연주에 맞춰 왈츠를 췄다.

단순한 춤이라고 얕봐서는 안 됐다.

참가자에게 이건 시련이었다.

주최자인 데이비드 크리스는 말한다.

—춤을 보면 그 사람의 모든 것을 알 수 있다.

집안, 능력, 타인에 대한 배려, 그것들은 춤을 보면 판단할 수 있었다. 춤 강사를 고용할 돈이 없는 가난한 자, 춤을 배울 만한 재능이 부족한 자, 좋은 파트너를 얻지 못한 인맥 없는 자— 가짜는 전부 배척할 수 있다.

그 이론이 옳은지와는 별개로, 그렇게 생각하는 자가 출석하는 파티였다.

아무리 일을 잘하는 장사꾼이어도 왈츠를 제대로 추지 못한다면 비웃음 받고 아무도 상대해 주지 않는다. 반대로 아무런 실적이 없는 신규 사업자여도 춤을 잘 추면 장래성이 있는 사람이란 평가를 받았다.

얼핏 보면 우아해 보이는 〈백로 연회〉는 궁극의 사교계라고 불리기도 했다.

『뜬구름』 란은 〈백로 저택〉에 드나든 흔적이 있다.

성질상 스파이가 모이기 쉬운 파티였다. 동포와 합류하고 싶은 그녀에게는 딱 좋은 곳이리라.

오늘 밤 나타날지도 모른다.

유일한 걱정거리는 주위를 경계한 란이 교묘하게 몸을 숨겨서 엇갈릴 수도 있다는 것이었다. 그 걱정을 해소하려면 〈백로 저택〉에서 어쨌든 눈에 띄는 편이 좋았다.

그렇다면 방법은 하나다.

〈백로 저택〉에서 누구보다도 아름다운 왈츠를 추는 거다!

—라고 지비아는 설명받았다.

"……아니, 상황은 이해가 됐는데."

지비아가 나직이 중얼거렸다.

눈썹을 찡그린 지비아의 손에는 『배리어스』가 지급한 **물건**이 들려 있었다.

“그렇다고 해도! 이런 천 쪼가리를 준비하는 게 말이 돼?”

심홍색 드레스였다.

천을 펼치면 꽤 대담한 디자인이라는 걸 알 수 있었다. 뒤쪽이 크게 파여서 등을 대담하게 노출했다. 앞쪽 천도 많지는 않아서 평범하게 입어도 쇄골이 드러날 것 같았다. 치마 부분은 붉은 천이 겹쳐 있지만, 크게 슬릿이 들어가 있었다.

이런 걸 공공연하게 입는 사람은 색녀밖에 없을 것이다.

그렇게 주장해 봤지만, 『연화 인형』이 말하길 파티에서는 입어도 된다고 했다.

드레스를 준 『연화 인형』과 『자괴 인형』은 귀찮아하는 모습으로 주장했다.

“잔말 말고 갈아입으세요.” “눈에 띄려면 그게 최선이에요.”

“되게 나쁜 쪽으로 눈에 띌 것 같은데…….”

“우리도 같이 춤출 거예요.” “보조할 거예요.”

그렇게 말하고서 그들은 『배리어스』의 거점에 있는 방에 지비아를 밀어 넣었다.

빈방이었다.

나란히 늘어선 작은 선반 두 개 말고는 아무것도 없었다.

“너희 진짜 용서하지 않을 거야. 진짜로. 진짜 정말로.”

불평해 봤지만 그들은 듣지 않고 문을 닫았다. 밖에서 문을 잠갔다.

파티가 시작될 때까지 여기서 대기인 것 같았다.

방에는 창문이 없어서 탈출하긴 어려웠다. 구석에 비스킷과 물이 놓여 있었다.

'……애초에 드레스는 어떻게 입는 거더라?'

드레스 외에 코르셋과 가슴 패드도 받았지만 사용법이 떠오르지 않았다. 양성 학교에서 배웠을 테지만, 평소에 입지 않는지라 사용법을 쉽게 잊어버렸다.

고민하며 고개를 들자 생각지 못한 인물과 눈이 마주쳤다.

클라우스였다.

그는 이미 옷을 갈아입은 상태였다. 새하얀 와이셔츠에 새까만 재킷을 입고 검은 나비넥타이를 맨 채 방 안쪽에 있는 전신 거울 앞에서 옷깃을 정돈하고 있었다.

"……."

지비아는 말없이 노려보았다.

합류한 건 좋지만, 한 가지 커다란 문제가 있었다.

"……나 여기서 옷 갈아입으라고 명령받았는데."

"그래, 나도 갈아입은 참이야."

"나가."

"무리야. 정각이 될 때까지 대기하라고 명령받았어."

다시 한번 말하지만, 빈방에는 선반 두 개가 있을 뿐이었다.

시야를 차단할 만한 것은 전혀 없었다.

"……나는 거울과 떨어져서 뒤돌아 있겠어. 그걸로 참아 줘."

"진짜냐……."

지비아는 어깨를 푹 떨구고 양손으로 얼굴을 덮었다.

다른 데서 옷을 갈아입겠다고 『배리어스』에 요구할 마음은 들지 않았다. 일류 스파이들의 현장이었다. 그 정도는 참아야 할 것이다.

지비아는 포기하고 옷을 갈아입기로 했다.

클라우스에게 남성적인 욕구가 별로 없다는 건 대충 파악하고 있었다. 그가 소녀들에게 욕망을 보인 적은 한 번도 없었다. 그 정도의 신뢰 관계는 있었다.

—하지만 물론 저항감이 없지는 않았다.

크게 뛰는 심장 고동을 느끼며 지비아는 옷을 벗기 시작했다. 혹시 몰라서 뒤돌아 확인했지만 클라우스는 꼼짝도 하지 않았다. 묘하게 분하기도 했으나, 어떤 반응을 보였다면 만족했을지 자신도 알 수 없었기에 너무 깊이 생각하지 않기로 했다.

옷의 치수는 딱 맞았다.

드레스 입는 법을 떠올리며 새빨간 실크를 몸에 걸쳐 나갔다.

하지만 얼추 입고 나서 깨달았다.

"……이봐."

"왜 부르지?"

클라우스가 뒷걸음질로 다가왔다.

"아니! 바, 바보! 가깝—."

"이 방에 도청기가 설치되어 있어. 할 얘기가 있으면 작은 목소리로 해."

뜨거워지는 얼굴을 흔들며 허둥지둥 뒤로 물러났지만 클라우스는 더없이 냉정했다.

지비아는 심호흡하여 마음을 가라앉혔다.

"아, 아니, 임무 때문에 부른 건 아니야."

지비아는 평소와 같은 목소리로 말했다.

"……허리에 있는 지퍼 좀 올려 줘. 나 혼자서는 못 입겠어."

몸에 딱 고정하기 위해선지 마지막에 지퍼를 올려서 드레스를 조여야 했다.

저항감은 들지만 등을 보일 수밖에 없었다.

"알았어. 돌아본다."

클라우스는 한마디 건네고서 몸을 돌렸다.

지비아는 노출된 등을 클라우스에게 보였다. 등 쪽이 푹 파여 있다는 게 떠올라서 황급히 입술을 깨물고 생각을 그만뒀다. 그래도 엉덩이까지 보이지는 않을 터다.

"……."

클라우스는 바로 지퍼를 건드리지 않았다.

지비아는 고개를 돌려 노려보았다.

"빤히 보지 마."

"……그렇지, 미안."

그 진지한 표정을 보고 클라우스에게 삿된 감정이 없음을 확인했다.

지비아는 가볍게 허리를 틀어 거울로 자신의 등을 보았다. 군살 없이 매끈하고 새하얀 등. 하지만 허리 아래쪽에, 잘 보이지는 않지만 희미하게 선이 그어져 있었다.

"어차피 다른 동료도 알고 있어. 옛날에 생긴 거야."

—상흔.

예전에 단검에 베인 흉터가 여전히 지비아의 허리에 남아 있었다.

다행히 드레스로 딱 가려지는 위치였다.

"생각하고 있었어."

클라우스가 중얼거렸다.

"엉?"

"그 상처가 증명하는 너의 용기와 다정함을. 가볍게 긍정할 수 있는 건 아니지만 나는 숭고하다고 느껴."

"고마워. 하지만 그런 칭찬은 그레테를 위해 남겨 둬."

지비아는 웃어 보였다.

클라우스는 말이 없었다.

『백귀』라는 스파이의 사정은 양성 학교의 교관에게 들었을 것이다.

잔학한 갱스터의 장녀— 그게 지비아의 출신이었다.

종전 후, 딘 공화국의 수도에서 약탈을 벌인 집단이 있었다. 혼란스러운 국내 정세에 편승하여 여자나 어린아이까지 덮치며 사리사욕을 채웠다. 특히 그 갱단의 두목은 살인의 천재였다. 적대하는 인간은 가지고 놀듯이 죽였다.

당시를 아는 공화국의 정치가 우베 아펠은 그 두목을 악마의 후예라고 평했다.

"……『식인귀』."

그것이 조직의 이름이었다.

지비아는 자조적으로 웃었다.

"폭력이 당연한 세계에서 살았어. 이제는 누구한테 베였는지도 기억나지 않지만, 이 정도로 끝나서 오히려 다행이지."

"……."

"뺏거나 뺏기거나. 그게 내가 살던 곳이야."

부친은 지비아의 눈앞에서 살인을 저질렀다. 부친의 적은 그에 대한 보복으로 지비아와 동생들을 노렸다. 부친에게 맞은 적도 있었다. 거리로 한 발짝 나가면 어린아이라는 이유만으로 얻어맞는 곳에서 살았다.

"그 과거는."

클라우스가 물었다.

"동료에게 아직 안 밝혔나?"

"나불나불 떠들 만한 일은 아니잖아."

지비아는 어깨를 으쓱였다. 조금 과장되게.

—나는 이 상처를 평생 안고 살겠지.

그렇게 생각했을 때, 클라우스가 허리의 지퍼로 천천히 손을 뻗었다.

"잠깐."

지비아가 중얼거렸다.

"왜?"

의아해하는 클라우스에게 작은 목소리로 말했다.

"살짝 만져 줘……. 어, 그, 당신 손바닥으로……."

클라우스는 작게 고개를 끄덕이고서 상처가 있는 곳을 손으로 건드렸다. 망설이듯 만지고, 이내 부드럽게 손바닥으로 덮었다.

모닥불에 다가간 것 같은 은은한 온기가 전해졌다.

나쁘지 않은 기분이었다.

"……너는 여전히 고아원에 기부하고 있나?"

클라우스가 상냥한 목소리로 물었다.

지비아는 미소 지었다.

"응. 성공 보수는 전부 때려 박고 있어."

"대담하군."

"자잘한 계산은 귀찮아서. 생활비는 따로 지급받으니까."

"곤란해지면 나한테 말해."

"그럴게. 하지만 기부는 한동안 계속 할 거야."

지비아는 수줍어했다.

"고향 같은 곳이야. 나랑 동생들을 숨겨 줬어. 가끔 눈을 감고 상상해……. 내 기부금으로 배불리 먹는 동생들을…… 바보처럼 웃는 모습을……. 만나진 못해도 그걸로 충분해……."

동생들의 건강한 모습을 상상하면 따뜻한 감정이 마음을 가득 채웠다.

그게 지비아의 원동력이 되었다.

"충분하니까…… 나한테 이 이상 아무것도 뺏지 않았으면 좋겠어."

지비아의 입술이 떨렸다.

진심에서 우러나온 말이었다.

온갖 것을 빼앗겼던 어린 시절부터 줄곧 품어 온 소망.

하지만 머릿속을 스친 것은―『봉황』 멤버들의 시신이었다.

지비아는 지퍼를 가리켜서 올려 달라고 요구했다. 클라우스는 곧장 지비아의 허리에서 손을 떼고 지퍼를 올렸다. 드레스가 조여지며 몸에 착 감겼다.

거울 앞에서 한 바퀴 도니 치마가 경쾌하게 나부꼈다.

처음에는 안 어울린다고 느꼈는데 의외로 그럴싸했다.

"각오는 됐어― 빼앗긴 복수를 하기 위해."

클라우스는 그저 짧게 「극상이야」라고 대답해 줬다.

◇◇◇

다섯 시간을 대기한 후, 지비아와 클라우스는 〈백로 저택〉으로 끌려갔다.

궁전 같은 거대한 건물이었다. 정문에서 현관까지 장미 정원이 있었고, 차로 3분 넘게 달려야 했다. 문을 열자 수십 명이 넘는 사용인이 맞이해 줬고, 파우더룸에서 매무새를 정돈한 후, 파티장으로 안내되었다.

테니스 코트가 다섯 개 넘게 들어갈 거대한 복층 홀이었다. 천장에서는 샹들리에가 반짝였고, 정면 무대에는 오케스트라가 늘어앉아 손님들을 맞이하듯 연주를 시작했다. 사람들이 끊임없이 홀에 찾아오며 환담을 나눴다. 개중에는 귀족과 정치가는 물론이고 영

화배우나 코미디언도 있었다.

무대 근처에는 입식 형식으로 진수성찬이 차려져 있었다.

전쟁 특수로 출세하여 부를 독점한 자산가가 주최하는 사치스러운 댄스파티. 이걸 보니 혁명을 바라는 공산주의자의 마음도 알 것 같았다.

저녁 여섯 시, 오케스트라의 음악이 멎었다.

주최자인 자산가 데이비드 크리스의 인사는 짧게 끝났다.

이후로는 저마다 자유롭게 먹고 마셔도 되는 시간이었다.

하지만 이 저택에서 주목받는 것은 역시 춤이었다.

홀의 중심에 널찍한 공간이 마련되어 있었고, 여러 남녀가 그리로 향했다. 오늘 밤의 파티를 즐기듯 자산가의 시선이 모이기 시작했다.

지비아와 클라우스는 그 중앙에 섰다. 서로 똑바로 마주 섰다.

거대한 샹들리에의 바로 아래였다.

「역시 시선을 받는 건 창피하네」 하고 지비아가 말했다.

「내 리드를 따라오면 돼」 하고 클라우스가 대답했다.

그때, 지비아의 귀고리에서 목소리가 흘러나왔다.

내장된 수신기에서 나온 음성이었다.

《들리나요? 손님.》

아멜리가 보낸 것이었다.

파티장 어딘가에서 지비아와 클라우스를 보고 있는 것 같았다.

지비아는 슬쩍 귀고리를 만졌다. 들린다는 사인이었다.

《현재, 파티장을 샅샅이 찾고 있지만 『뜬구름』은 발견되지 않았

어요.》

“그렇겠지. 그 녀석은 능숙하게 숨으니까.”

《네, 교묘하게 변장했거나 뛰어난 잠복 기술을 가진 거겠죠. 그러니 여러분이 나설 차례예요.》

“그런가.”

《—눈에 띄세요, 손님. 숨어 있는 란을 꾀어낼 정도로.》

지비아는 어깨를 으쓱였다.

“우리는 미끼인가. 짜증 나네.”

“참을 수밖에 없어. 란을 찾을 때까지만 참으면 돼.”

클라우스도 왠지 좀 기분이 나빠 보였다. 다른 기관의 지시에 따를 수밖에 없는 상황이 스트레스인 것 같았다.

《이 저택을 너무 얕보지 않는 게 좋을 거예요.》

난감해하는 것 같은 아멜리의 목소리가 들렸다.

《말해 두는데, 평범한 춤으로는 눈에 띌 수 없어요. 오늘도 전국의 신규 사업자와 한물간 자산가가 인생 역전을 기대하며 이 홀에 와 있어요.》

주위에서 대기 중인 페어를 곁눈질로 슬쩍 확인했다.

말쑥한 새 정장을 입고서 의욕을 불태우고 있는 남성과 극도의 긴장으로 얼굴이 빨개진 여성이 많이 있었다. 개중에는 이런 자리가 익숙한지 태연한 모습인 장신 페어도 있었다.

—이 파티에 출석하는 자산가들은 춤 기량으로 그릇을 가늠한다.

얼핏 보면 어처구니없는 일이지만 실제로 합리적이었다.

춤을 잘 추는 사람은 대충 세 가지로 분류된다. 어릴 때부터 영재 교육을 받을 만한 명문가에 태어난 사람, 좋은 춤 강사와 만날 수 있을 만큼 부유하거나 인맥이 풍부한 사람, 독학으로 실력을 키울 수 있을 만큼 요령이 아주 좋은 사람.

그렇기에 신참은 그만큼 주목을 모았다.

오케스트라의 지휘자가 지휘봉을 쥐었다.

홀에 모인 페어가 서로 인사하고 살며시 어깨를 잡았다.

《춤은 둘이서 하나. 설령 『화톳불』의 리드가 완벽하더라도 따르는 여성이 서툴다면 스텝은 꼬여요. 두 사람의 콤비네이션이 무너져도 안 되고요.》

아멜리가 끈질기게 말했다.

《제대로 준비도 하지 않고 완벽한 왈츠를 추는 건 아주 어려운 일이겠죠.》

지비아가 미소 지었다.

"어떻게 생각해? 우리의 콤비네이션을 걱정하는 것 같아."

"그런 것 같군."

지비아는 클라우스에게 손을 내밀었다.

"농담이지?"

"물론."

클라우스는 지비아의 왼손을 잡고 지비아의 허리에 왼팔을 둘렀다.

지휘자가 지휘봉을 크게 휘두르자 바이올리니스트들이 일제히 무도곡을 연주하기 시작했다. 삼박자 리듬에 길게 빠지는 곡조.

그 연주에 맞춰 지비아와 클라우스, 그리고 다른 페어도 움직이기 시작했다.

반시계 방향으로 플로어를 도는 남녀들. 파티 참가자들은 와인을 한 손에 들고서 스무 쌍이 넘는 그 남녀에게 시선을 보냈지만, 이윽고 이끌린 것처럼 한 페어에게 주목했다.

—클라우스와 지비아 페어였다.

《음…….》

아멜리가 놀람이 섞인 목소리를 흘렸다.

그 순간 가장 화려한 사람은 틀림없이 그 두 사람이었다.

물론 두 사람 다 일상적으로 사교댄스를 즐기지는 않았다.

클라우스는 『선혹』 하이디라는 예전 팀메이트에게 기초를 배웠을 뿐이고, 지비아도 양성 학교에서 몇 시간 배운 정도였다.

하지만 그들에게는 있었다. —뛰어난 운동 신경과 단련된 신체 능력이.

클라우스의 힘 있는 리드를 따라, 지비아는 손끝부터 발끝까지 곧게 중심을 유지하며 턴하고 완벽하게 정지했다. 완급이 풍부한 아름다운 움직임이었다.

두 사람은 관중의 기대를 받으며 시원스레 홀의 중앙으로 이동했고—.

"어라?" "음?"

직후, **거하게 넘어졌다.**

◇◇◇

—같은 시각.

『배리어스』의 거점인 카샤드 인형 공방은 정적에 휩싸여 있었다. 멤버 대부분이 나가고 몇 명만 남아 말없이 자료를 읽고 있었다. 지금까지의 동향으로 『뜬구름』의 행방을 찾기 위해 지도를 펼치고, 이따금 종이 넘기는 소리만이 공간에 흘렀다.

그 지하실에서 어떤 소녀가 정보를 얻을 기회를 엿보고 있었다.

'……스파이 인질은 의외로 정중히 대해 주네.'

티아였다.

인질이 된 그녀는 독방에서 과자를 먹고 있었다.

독방이라고 해도 청결했고, 책상과 의자, 심지어 무료함을 달랠 책까지 준비되어 있었다. 저녁이 되니 과자와 함께 밥도 줬다. 양손에 수갑이 채워져 있지만, 입으로 음식을 옮길 만한 여유는 있었다.

과거에 겪은 어떤 일 때문에 티아는 인질에 좋은 기억이 없었다.

하지만 『배리어스』의 대응은 신사적이었고, 티아를 고문하려는 기색은 보이지 않았다. 그저 자유를 뺏었을 뿐이다. 공격하려는 의지는 보이지 않았다.

'그럼 조금 욕심을 부려야 할까…….'

티아는 조용히 계산했다.

『배리어스』가 쥔 정보를 일부라도 얻는다면 횡재다.

"저기~ 잠깐 괜찮을까?"

티아는 용기를 쥐어짜 밖을 향해 말했다.

독방 밖에는 감시원 남성이 무뚝뚝한 얼굴로 앉아 있었다. 빈틈없어 보이는 안경 쓴 청년이었다.

"……뭐지?"

청년이 귀찮다는 듯 말했다.

"젖은 수건을 갖다주면 안 될까? 땀이 차서. 밤에는 시원한데 이 지하실은 따뜻하네."

"……."

"염치없는 부탁이지만 닦아 주면 좋겠어. 손을 뒤로 돌릴 수 없는지라."

몸을 꼬며 최대한 요염하게 미소 지었다.

하지만 남자의 반응은 싸늘했다.

"말해 두는데."

"……응?"

"네가 살아 있는 건 『화톳불』 때문이야. 너한테 위해를 가해서 그 남자와 적대하면 귀찮으니까. 안 그랬으면 우리는 바로 고문했을 거야."

"어머, 협박? 여유가 없네."

"뻔히 보이는 도발은 안 통해. 아쉽게 됐네."

남자는 이 이상 상대하지 않겠다는 듯 고개를 가로저었다. 욕심

부린 티아를 쳐다보지도 않았다.

그저 대화가 성립되지 않았을 뿐이지만 패배한 기분이었다.

'역시 틈은 없나…….'

아직 제대로 실력을 발휘하진 않았지만, 어중간한 미인계가 통할 상대는 아닌 것 같았다. 방첩 부대 사람에게 막무가내로 도전하고 싶지는 않았다.

그의 협박은 통했다. —자신은 간당간당하게 살아 있는 것에 불과했다.

미묘한 균형으로 목숨을 부지하고 있었다.

만약 이들의 마음이 바뀐다면 티아를 쉽게 죽일 수 있었다. 괜히 염탐하려다가 목숨을 잃을지도 몰랐다. 지금은 무사해도 앞으로의 생존까지 보장된 것은 아니었다.

무의식중에 입술을 깨물었다.

"……불쌍하게도."

감시원이 중얼거렸다.

"……어리석은 동포가 테러리스트로 전락해서 마음고생을 하다니."

분명 티아에게 한 말은 아닐 것이다. 진심으로 티아를 가엾게 여기는, 지독히도 순수한 감상이었다.

그렇기에 티아의 마음을 자극했다.

'어리석다고? 이 남자는 무슨 말을 하는 거지?'

몸 안쪽에서 열이 솟구쳤다. 무심코 반론하고 싶어지는 충동을 꾹 참아야 했다. 자신을 업신여기는 건 상관없지만 그들은 별개였다.

목숨이 위험한 환경에서 티아는 어떤 여성을 떠올렸다.
『우금』 팔마— 티아가 친하게 지냈던 『봉황』의 여성이었다.

◆◆◆

—밀월 16일째.
교류한 지 2주가 지나자 양 팀 모두 좋게도 나쁘게도 거리낌이 없어졌다.
훈련이 끝났을 때, 『봉황』의 멤버가 뜬금없이 말을 꺼냈다.
"팔마를 비롯한 여성진은~ 오늘 자고 갈게~."
"""""돌아가!!"""""
관리되지 않은 머리를 기른 통통한 여성— 『우금』 팔마의 발언이었다.
그녀를 필두로 란과 큐르까지, 『봉황』의 여성 멤버는 늘 그렇듯 『등불』의 주장을 무시하고 2층으로 줄줄이 올라갔다. 빈 침실을 찾아내고서 「오오」 하는 소리를 내며 저마다 짐을 내려놓았다.
이쯤 되니 말릴 수도 없었다.
그날 저녁 식사와 목욕 시간은 평소보다 다섯 배 시끄러웠다.
밤이 되자 큐르가 「아침까지 끝말잇기 안 할래?」 하고 센스 없는 제안을 했고, 란은 또 아네트에게 쫓겨 뛰어다녔고, 팔마는 에르나를 껴안고 자겠다며 덮쳤다.
팔마가 티아의 침실에 찾아온 것은 곧 날짜가 바뀌려고 하는 때였다.

"티아, 그레테, 연애 얘기 하자~."

그녀는 신난 모습으로 찾아왔다.

옆구리에는 축 늘어진 에르나가 안겨 있었다. 자고 있었다. 팔마에게서 도망치지 못하고 포획당해 운명을 받아들이고 잠든 것 같았다.

"노크 정도는 해 줘."

"……자유분방한 분이네요."

티아와 마침 찾아와 있었던 또 한 명, 유리 세공 같은 아련함을 풍기는 빨간 단발머리 소녀—『애랑』 그레테도 얼굴을 찌푸렸다.

팔마는 침대에 앉더니 잠든 에르나를 무릎 위에 올렸다.

티아는 조금 자리를 띄워서 똑같이 침대에 앉았다. 그레테는 의자에 앉았다.

"연애 얘기는 딱히 싫어하지 않지만……."

티아가 말을 꺼냈다.

"실제로 『봉황』은 어때? 남녀 혼합 팀이고, 연애 사건도 발생해?"

"저도 궁금해요……. 스파이 간의 연애는 특히나……."

그레테가 뜨거운 시선을 보냈다. 클라우스에게 연심을 품고 있는 그녀로서는 꼭 듣고 싶은 토크 테마일 것이다.

팔마는 턱에 손을 올렸다.

"없지는 않지만~ 발전하지 않는 느낌이려나~."

"흐응." "그렇군요……."

"빅스 군은 멋있지만~ 역시 동료와는 진심으로 연애하고 싶지 않아~ 복잡한 관계가 되기 싫은걸. 저쪽도 아마 비슷하게 생각하고 있지 않을까?"

호오호오, 하고 티아와 그레테는 감탄했다.

평소 폐쇄적인 조직에 있는 두 사람에게 외부의 연애 이야기는 꽤 자극적이었다.

팔마는 장난기 가득한 어조로 말했다.

"팔마는~ 적과의 사랑에 불타오르는 타입이려나~."

""어……?""

"예를 들면 외국에서~ 위험한 조직에 잠입하잖아? 거기서~ 남자 간부와 친해진다든가 그런 게 좋아."

"아니, 역시 위험성이 너무 크지 않아?"

티아가 타일렀다.

"하지만 욕망은 막을 수 없잖아~ 응, 실천해 버릴까?"

팔마는 침대에서 일어나더니 그 자리에서 빙글 돌았다.

"코드 네임 『우금』— 썩어 타락하는 시간을 가지자~."

특별한 일을 한 것처럼 보이지는 않았다.

다만— 분위기가 근본적으로 변했다.

심장 고동이 빨라졌다. 축축한 땀이 온몸에 흐르기 시작했다. 눈이 빽빽하여 제대로 깜빡일 수 없다는 걸 뒤늦게 깨달았다. 그 자리에서 움직일 수 없는데 본능은 틀림없이 경계 신호를 보내고 있었다.

단적으로 말하자면 불안해졌다. 어째선지 굉장히.

"마음이 초조하지?"

팔마는 즐겁게 웃었다.

"가벼운 심리 유도야. 일거수일투족으로~ 남자를 불안하게 만들어서~ 팔마에게 의존하도록 하는 게 좋아~ 응, 이게 제일 불타올라~."

엄청난 말을 태연하게 했다.

팔마는 수상쩍은 미소를 머금었다.

"흥분된단 말이지~ **실수한 순간 죽는 스릴 넘치는 적지에서 사랑과 정욕이 용솟음치는 건.**"

어딘가 광적인 희열이 눈동자 안쪽에 있었다.

그 후 팔마는 한동안 티아와 그레테의 반응을 살피듯 바라보았다.

"…………."

굉장히 긴 침묵이었다.

저의를 알 수 없어서 티아는 고개를 갸웃했다.

그리고 팔마는 즐겁게 「아, 그래!」 하고 손뼉 쳤다.

"모처럼 모였으니까 다 같이 자극적인 음담패설 대회를 열자~!"

무릎에 올려 뒀던 에르나를 옆구리에 끼고서 팔마는 방을 뛰쳐나갔다.

남겨진 티아와 그레테는 멍하니 있었다.

"……욕망에 충실한 사람이네."

"……너무 솔직하네요."

그렇게 말할 수밖에 없었다.

이후로도 팔마는 아지랑이 팰리스에 빈번히 숙박하며 소녀들을 애먹였다.

아무튼 다른 사람과의 거리감이 가까운 스파이였다. 아무 데서나 껴안고, 사적인 공간에도 거침없이 들어왔다.

지금 냉정히 생각해 보니 그건 자신의 힘에 절대적인 자신감이 있어서였을 것이다.

호흡, 음성, 손가락 흔드는 법, 고개 기울이는 법, 온갖 리듬, 타이밍, 거리감으로 상대의 감정을 뒤흔들었다. 그저 눈앞에 있는 것만으로도 대면한 자의 마음을 가지고 놀았다.

농락에 통달한 대담무쌍한 멘탈리스트.

—『우금』 팔마.

◆◆◆

'……정말로 이상한 사람이었어.'

나긋나긋해 보이지만 『봉황』 내에서 가장 과격한 힘을 가지고 있었다.

적과 우호적인 관계를 구축하는 티아와도 다른 스킬이었다. 상대가 자신에게 빠지도록 하여 지배적인 협력 관계를 맺었다.

그렇기에 배울 점도 많았다.

티아는 다시금 독방으로 의식을 옮겼다. 세세한 부분까지 꼼꼼히 관찰한 후 눈을 감았다. 자는 척하며 귀에 손을 대고 소리에 집중했다.

변화는 바로 깨달았다.

—복도에서 들리는 발소리가 줄어들었다.

—『배리어스』는 대부분 나가 있다.

그렇게 분석하고서 티아는 숨을 들이마셨다.

'역시 할 거면 지금뿐이야……!'

물론 적지에서 정보를 수집하는 건 상당히 위험한 행위다. 조금 전에 감시원에게 한소리 들은 참이었다. 멘탈이 약한 자신이 버틸 수 있을지 불안하기만 했다. 자신다운 일은 아니었다.

—적지를 즐겨라.

—크게 뛰는 심장 고동과 함께 정욕을 분출해라.

"저기, 하나 더 부탁해도 될까?"

티아가 밖을 향해 말했다.

"화장실에 가고 싶은데…… 조금 긴장해 버려서."

"……못 참겠어?"

대답은 바로 돌아왔다. 귀찮아하는 목소리였다.

티아는 웃으며 대답했다.

"부끄러운 얘기지만 못 참을 것 같아. 당신도 싫잖아? 내 보스가 돌아왔을 때, 내 옷이 더러우면 괜한 말을 듣게 될 거야."

한동안 침묵이 흘렀다.

이윽고 독방 문이 열리고 검은 옷을 입은 여성이 들어왔다. 20대 중반의 고지식해 보이는 인물이었다. 『배리어스』의 일원일 것이다.

"대신 제가 안내하겠습니다, 손님."

그녀는 티아의 수갑을 척척 풀더니 다른 수갑을 채우고 허리에 포승줄을 묶었다. 이동 중에는 몸을 구속하는 모양이다. 인질 신분이란 걸 생각하면 당연한 조치였다.

티아는 명랑하게 미소 지었다.

"여성이 에스코트해 주는 거야? 멋지네. 역시 남자랑 가는 건 창피했어."

"문제가 있으면 곤란하니까요."

여성은 사무적인 어조로 대답했다.

"당신처럼 아름다운 여성이면 헤벌쭉거리는 남성도 있겠죠. 마스터의 지시입니다."

"훌륭한 판단이야. 공부가 되네."

"우리가 존경하는 분입니다."

그렇게 대답한 여성은 곧장 입을 다물었다.

쓸데없는 정보는 주지 않겠다는 의지를 표명하듯이.

'……역시 방어는 단단하네.'

티아는 복도를 걸어가며 생각했다.

아까 얘기했던 감시원과 마찬가지로 상당히 경계하고 있는 것 같았다. 상대가 여성이 되면서 미인계의 난이도는 더욱 높아졌다.

'—하지만 상대가 인간인 한, 방법은 있어.'

티아는 일부러 어른스럽게 후후 웃었다.

"역효과 아닐까?"

"네?"

"왜냐하면 당신은— 여성을 더 좋아하잖아?"

상대는 아연한 얼굴로 뒤돌아 티아를 마주 보았다.

놀란 표정이었다.

티아는 여유로운 미소로 화답했다.

"왜 그런 말을……?"

"나는 알 수 있어. 당신도 무의식중에 눈치챘을 거야."

거짓말이었다.

티아에게 순식간에 마음을 꿰뚫어 보는 힘은 없었다.

아멜리에 대한 존경심을 보고 짐작했을 뿐이다.

하지만 그거면 충분했다. 근거가 없어도 거짓말하면 된다. 눈이 휘둥그레질 만한 말을 해서 관심을 끌면 된다. 자신만만하게 단언하는 어린 여자애한테 동요하도록 만들면 된다.

순식간에 마음을 꿰뚫어 보는 힘은 없어도 **계속 마주 본 상대의 마음을 꿰뚫어 보는 힘은 있으니까.**

'코드 네임 『몽어』— 매료해 부술 시간이야.'

속으로 속삭이고서 티아는 한 걸음 다가갔다. 친한 친구를 대하듯 웃었다.

"화장실에서 잠깐 얘기하자."

"네? 아니, 당신은 무슨 소리를……?"

여성은 부끄러운 듯 고개를 숙였다.

"이것도 인연이야. 당신과는 친해질 수 있을 것 같아."

티아는 수갑이 채워진 양손을 뻗어 여성의 뺨을 어루만졌다.

한번 마음을 읽은 상대를 티아가 농락하지 못한 적은 한 번도 없었다.

◇◇◇

〈백로 저택〉에서는 저택이 지어진 이래 최악의 춤이 벌어지고 있었다.

"지비아, 다친 백조가 아픔을 견디며 살며시 달을 우러러보듯이."

"그딴 지시를 어떻게 알아먹으라는 거야아아아아아!"

"다음은 오른쪽 같은 왼쪽이야."

"일부러 못 알아먹게 말하는 거지?!"

클라우스는 평소보다 열 배 더 추상적인 지시를 내렸고.

이에 지비아는 당당히 욕을 퍼붓고 있었다.

홀을 에워싼 관중들은 멍하니 바라볼 수밖에 없었다. 그들이 생각하는 바는 하나였다.

“““뭔가 이상한 페어가 섞여 들었어…….”””

그저 곤혹스러웠다.

시작은 완벽한 느낌이었는데, 요란하게 넘어진 이후로 리듬이 무너지기 시작했다.

통상적으로 이런 열악한 춤을 추는 페어는 쫓아내는 것이 관례였다.

하지만 기묘하게도 각각은 뛰어난 무용수였다. 움직임 하나하나에서 단련된 코어가 느껴졌고, 완급을 주는 방식은 전혀 아마추어답지 않았다.

—그러나 상성이 최악이었다.

—두 사람의 의도가 전혀 맞물리지 않았다.

서로 가고 싶은 방향이나 스텝 타이밍이 안 맞아서 군데군데 충돌하고 넘어졌다.

이 정도로 엉뚱한 춤은 보기 드물어서 어떻게 대응하면 좋을지도 알 수 없었다.

끝내는 두 사람의 균형이 동시에 무너져서—.

“음?” “아.” ““너, 너희들?!””

지비아와 클라우스 페어는 옆에서 춤추던 『자괴 인형』과 『연화 인형』 페어와 세게 부딪쳤다.

네 사람은 근처 식탁으로 넘어졌다.

식탁보가 당겨지며 요리가 담긴 그릇이 쓰러졌다.

지비아가 낙법을 취하듯 뻗은 팔이 『연화 인형』의 몸을 쳤고, 클라우스의 등이 『자괴 인형』과 부딪쳤다. 네 사람은 요란하게 식탁 아래로 넘어졌다.

《……일단 눈에 띈다는 당초의 목적은 달성했나요.》

통신기에서 어이없어하는 아멜리의 목소리가 들렸다.

《그렇군요. 세계 최강의 스파이……. 당신이 진심으로 움직이면 아무도 쫓아올 수 없는 건가요.》

이런 상황에서도 냉정한 분석이었다.

지비아는 어깨로 떨어진 꼬치 요리를 털어 내며 식탁 아래에서 기어 나왔다. 그 후 멍한 얼굴로 식탁보를 들어 올리는 『연화 인형』을 노려보았다.

"교대!"

지비아가 외쳤다.

"네……?"

"못 해 먹겠어! 네가 우리 보스랑 춤춰!"

현실적으로 이대로 가다간 쫓겨날지도 몰랐다.

지비아는 눈이 휘둥그레진 『연화 인형』의 등을 세게 밀었다.

그녀는 아연한 모습이었지만, 이윽고 아멜리가 《춤추세요》 하고 통신했다.

《화톳불은 힘을 좀 빼세요. 제 부하가 다치면 용서 안 할 겁니다.》

"알겠어."

클라우스는 『연화 인형』의 손을 잡고 플로어로 돌아갔다. 아까처럼 강제적으로 리드하지 않고 천천히 춤췄다. 클라우스의 시선을 받은 『연화 인형』은 부끄러운 듯 뺨을 붉히고 있었다.

그 모습을 확인하고서 지비아는 대기실로 이동했다.

홀 옆에 마련된, 의상이나 화장을 고치기 위한 방이었는데 다행히 아무도 없었다. 커다란 테이블과 의자가 어수선하게 놓여 있었다.

빨개지는 얼굴에 손부채질을 하며 의자에 앉았다.

"굉장한 창피를 당한 것 같아!"

"네, 훌륭한 추태였습니다."

대답한 사람은 포멀 수트를 입은 소녀, 『자괴 인형』이었다.

감시하는 역할인지 뒤에 딱 붙어 있었다.

"그렇게 주목받은 춤은 이전에도 없었고 앞으로도 없을 겁니다. 웃음소리가 끊이지 않는 매력적인 춤이었어요."

"비아냥거리는 거야?"

그렇게 말하며 노려보았을 때, 대기실 문이 열리며 고스로리 복장의 여성이 들어왔다. 아멜리였다. 『조종자』라는 이명을 가진 스파이는 이런 자리에서도 복장을 바꾸지 않는 모양이었다.

"—만점이에요, 리틀 레이디."

아멜리가 말했다.

지비아는 어깨를 으쓱였다.

"그 비아냥은 당신 부하한테 들었어. 아무튼 란은 찾았어?"

"아뇨, 전혀."

"엉?"

"당신이 꼴사납게 넘어지고 모든 관중이 당신에게 주목한 순간,

저희는 관중을 확인했어요. 하지만 특별한 반응을 보이는 자는 한 명도 없었어요."

아멜리는 재미없다는 듯 손을 흔들었다.

"파티는 큰 말썽 없이 무탈하게 진행 중이에요. ……굳이 따지자면 요리 도둑이 나타났다며 사용인들이 허둥대고 있는 것 정도일까요."

"요리 도둑?"

"그릇째로 요리가 사라졌어요."

"뭐야, 그게. 란 짓인가?"

"그렇다면 재미있겠지만. 뭐, 그럴 리는 없겠죠."

굉장히 호쾌한 도둑이 다 있었다.

아멜리가 「원래 하던 얘기로 돌아가죠」 하고 말했다.

"어쨌든 답은 하나예요. ―『뜬구름』은 〈백로 저택〉에 없어요. 예상이 빗나갔네요."

"괜히 춤췄잖아."

"비관할 필요는 없어요. 다만 전제를 재검토할 필요가 생겼어요."

아멜리가 지비아 옆에 있는 의자에 앉았다.

『자괴 인형』이 방구석에 놓인 티포트로 즉각 홍차를 끓였다.

"지비아 씨…… 『뜬구름』의 친구인 당신에게 묻겠어요."

"친구라니……."

"애초에 란 씨는 『등불』과 합류하고 싶어 할까요?"

얼굴을 찌푸렸다.

"그야 당연히 란은 합류하고 싶어 하겠지."

"정말로? 3주 넘게 당신들 앞에 나타나지 않는데?"

"……."

"만약 그럴 의지가 있었다면 이미 합류했겠죠. 적어도 〈백로 저택〉에 있다면 지비아 씨를 찾는 건 쉬웠어요. 이 엇갈림은 단순한 불운일까요?"

지비아는 팔짱을 끼고 낮게 신음했다.

"중상을 입어서 못 움직일 수도 있잖아."

지비아가 가설을 세웠다.

"그럴 리는 없어요. 어젯밤 갔던 시계 가게에는 『뜬구름』의 것으로 보이는 두발과 지문이 남아 있었어요. 적어도 어젯밤까지는 총을 쏠 만한 기력이 있었어요."

"……그렇지."

"프로파일링을 잘못한 거겠죠. ―저와 화톳불, 둘 다."

그건 말도 안 된다고 반사적으로 생각했다.

클라우스의 탁월한 직감이 틀릴 리 없었다. 지비아의 실력을 한눈에 간파한 아멜리의 관찰안도 대단했다.

―그런 두 사람을 계속 따돌리고 있는 『뜬구름』 란을 어떻게 설명할 것인가?

지비아가 고민하고 있으니 아멜리가 중얼거렸다.

"『봉황』 멤버를 죽인 건 『뜬구름』일지도 몰라요."

"뭐?"

지비아가 눈을 크게 떴다.

이제껏 생각도 못 했던 폭언이었다.

"그럴 리 없—."

"오히려 당연한 발상이잖아요? 『봉황』이 괴멸한 것도, 『뜬구름』이 『등불』과 합류하지 않은 것도 설명이 돼요."

"아, 아니, 그 녀석이 그런 짓을 할 리가……."

"생각이 안일하네요. 추하고 끔찍한 배신이 이 세계에는 수두룩해요."

"……!"

건조한 시선을 받고 지비아는 말문이 막혔다.

그때 대기실 문이 열리더니 드레스 차림의 여성이 뛰어 들어왔다. 파티 참가자인가 싶었는데 아멜리에게 뭔가 귓속말을 했다. 참가자로 위장한 『배리어스』의 부하인 듯했다.

아멜리는 입매를 비틀었다.

"마침 잘됐어요. 지금 당장 저와 함께 가죠."

"아……."

"조금 재미있는 걸 보여 드리겠어요."

『자괴 인형』이 의자를 빼고 아멜리가 일어났다. 어느새 아멜리의 오른손에 지휘봉이 들려 있었다.

적어도 좋은 예감은 안 들었다.

◇◇◇

바이올린 소리가 아직도 들렸다.

지비아와 클라우스가 엉망진창으로 휘저었지만, 그 후로도 댄스 파티는 계속되고 있는 것 같았다.

부하 일곱 명을 데리고서 일단 옥외로 나간 아멜리는 저택을 빙 돌듯이 걷고 있었다. 경비원이 없을 리가 없는데 마주치지 않았다. 미리 정리한 걸까.

선두에 선 아멜리가 「『연화 인형』은 아직도 춤추고 있나요?」 하고 물었다.

아멜리가 의지하는 부관은 현재 소녀 한 명뿐이었다.

"그 녀석이 없어도 충분해요, 마스터."

『자괴 인형』이 자랑스레 대답했다.

"어머, 든든해라."

"『연화 인형』은 잘생긴 남자와 춤추게 돼서 주책없이 들떴어요. 녀석은 해고하죠."

"어머나, 그건 곤란해요."

썰렁한 대화에 지비아는 얼굴을 찌푸렸다.

"이, 이봐. 대체 날 어디로—."

"이 〈백로 저택〉은 스파이가 잘 모이는 파티라고 설명했죠?"

아멜리가 멈춰 섰다.

마침 건물 뒤편에 도착했다. 무성한 정원수 때문에 앞쪽 광경은 잘 보이지 않았다.

"가르가드 제국의 스파이가 발견됐다고 하네요. 슬픈 얘기예요."

딱히 슬퍼하지도 않으면서 아멜리가 말했다.

『자괴 인형』이 「자, 이걸 써요」 하고 쌍안경을 내밀었다.

지비아는 나무들 사이로 얼굴을 내밀었다.

건물 뒤쪽에 테라스가 있었고, 몇몇 남녀가 밤바람을 맞고 있었다. 파티의 소란에서 벗어나 휴식 중일 것이다. 와인잔을 옆에 두고 이야기하는 모습은 왠지 음란한 분위기를 풍겼다.

"으, 음……."

"오른쪽에서 다섯 번째 창문에 있는 남녀예요."

가르쳐 줘도 바로 알아볼 수는 없었다.

언뜻 보기에는 유복한 중년 부부 같았다. 이 파티에서는 흔히 볼 수 있는 평범한 참가자였다. 스파이답지 않았다.

하지만 아멜리의 눈에는 나라를 좀먹는 공작원으로 보이는 것 같았다.

"저 녀석들이 란과 관련 있어?"

"유감스럽게도 아마 다른 동기로 숨어든 자일 거예요. 이 참가자는, 자세한 건 밝히지 않겠지만, 군사 관계자의 약점을 잡기 위해 밀담을 나누다가 부하에게 걸렸어요."

란 수색과는 완전히 별개의 사건인 것 같았다.

지비아가 고개를 갸웃했다.

"……언뜻 보기에 가르가드 제국 사람 같지는 않은데."

“펜드 연방의 국민이에요. 애국심을 버리고 왕을 해치는 반역자로 전락한 배신자죠.”

아멜리가 지휘봉을 치켜들었다.

“—【목록 96번】【목록 65번】【목록 1번】.”

『배리어스』의 부하가 건물을 오르기 시작했다.

테라스에 모여 있는 남녀는 아홉 명 정도. 온화한 대화를 나누던 이들이 한순간 밤하늘로 시선을 옮겼다.

불꽃이 터졌기 때문이다.

같은 시각, 지붕에서 내려온 『배리어스』의 부하 네 명이 타깃 남녀를 납치했다.

그러면서 난 소리는 불꽃 터지는 소리가 지워 줬을 것이다. 하지만 다른 사람들에게 전혀 들키지 않고 몇 초 만에 사람을 납치하는 모습은 마술의 영역에 도달해 있었다. 타깃의 입을 막고, 다른 사람이 다리를 껴안듯이 잡아 테라스에서 떨어뜨렸다.

낙하하면서 부하 한 명이 여자의 목에 무릎을 올려 땅에 눌렀다.

불꽃 소리와 동시에 뼈가 부러지는 소리가 났다.

“어……?”

“신문은 한 명만 해도 충분하잖아요?”

경추가 부러졌을 여성은 움직이지 않았다. 즉사였다.

그 파트너일 남성은 아직 저항하고 있었다. 테라스에서 떨어지면서 구속을 풀고 뒷마당의 수목 사이로 도망치려고 했다.

“—【목록 95번】.”

아멜리가 지휘봉을 휘둘렀다.

"마스터한테서 도망칠 수 있을 거라고 생각했다면—."

예측한 것처럼 『자괴 인형』이 남자 앞으로 이동해 있었다. 손에는 커다란 쇠망치가 들려 있었다.

"—너무 안일해서 웃음이 나는데."

둔탁한 소리가 여러 번 울렸다.

『자괴 인형』이 짧은 시간에 남자를 몇 번이나 때린 듯했다. 이윽고 무릎 꿇은 남자의 멱살을 잡고 아멜리에게 끌고 왔다.

불꽃놀이가 끝날 즈음에 『배리어스』 사람들은 모두 건물 뒤편에 숨어 있었다.

테라스에 있는 사람들은 무슨 일이 일어났는지 전혀 눈치채지 못한 채 불꽃놀이에 관한 감상을 나눴다. 조금 전까지 옆에 있었던 남녀가 사라졌다는 것조차 깨닫지 못한 것 같았다.

"……."

그 수완을 보고 지비아는 말을 잇지 못했다.

이윽고 『자괴 인형』이 붙잡은 남자를 아멜리 앞에 놓았다. 잡은 사냥감을 자랑하는 사냥개처럼 의기양양한 얼굴이었다.

남자는 의식이 있는 것 같았지만 온몸의 힘이 빠진 듯 사지를 늘어뜨리고 있었다.

아멜리가 해설했다.

"『자괴 인형』은 갈비뼈를 능숙하게 부러뜨려요. 내장이 전혀 다치지 않도록 가감해서. 대단하죠. 뭐, 살짝 움직이면 뼛조각이 살에 박혀서 격통이 일지만요."

남자는 뼈가 부러져서 저항하지 않는 모양이었다.

"당신도 원래는 고문받을 입장이에요. 『화톳불』이 없었다면 말이에요."

확실하게 협박했다.

아멜리 앞으로 끌려온 남자는 얼핏 보기에 인자하고 무고한 시민 같았다. 다소 배가 나오긴 했지만, 그것도 온화한 성격을 연상시켰다. 거리에서 레스토랑 일에 종사할 것 같은 인상이었다.

"반가워요."

아멜리는 미소 지었다.

"CIM 사람이에요. 그거면 설명은 필요 없겠죠?"

"요, 용서해 줘……."

CIM이란 단어를 듣고 남자는 전부 헤아린 듯했다.

펜드 연방의 첩보 기관 이름은 국민에게 두려움의 대상인 것 같았다.

"……전부, 이실직고할게……. 같은 편에 관해서도, 전부 다……말할 테니까."

"거점으로 데려가서 고문반에 넘기세요."

아멜리가 내씹듯이 말했다.

부하가 남자의 입에 재갈을 물리고, 여자의 시체와 함께 거대한 가방에 넣었다. 남자는 저항하듯 몸을 비틀었지만, 부러진 뼈가 박혔는지 고통스러워하는 소리를 냈다.

아멜리는 그들이 사라지는 모습을 지켜보았다.

"저 남자, 간단히 한 식구를 배신했네요."

옆에 선 지비아가 노려보았다.

"……하고 싶은 말이 뭐야?"

"사람은 조국도 동료도 간단히 배신해요."

아멜리는 중얼거렸다.

"아마 『뜬구름』 란도."

그것이 지비아에게 현장을 보여 준 이유인 것 같았다.

아니면 협박하기 위해서일까. 눈앞에서 실력을 과시하여 지비아의 마음을 흔들고 정보를 빼내고 싶은 걸까.

확실히 공포심을 부추기긴 했다. 이들은 간단히 자국민을 죽였다.

살인 현장을 보는 게 처음은 아니었다. 폭력에 노출됐었던 유년기, 그리고 스파이 세계에서 살아온 10개월간. 『봉황』도 사명을 위해 롱청의 마피아를 죽였다.

하지만 『배리어스』가 죽인 것은 본래 그들이 지켜야 할 인간이었다.

"……어떻게 이런 짓까지 할 수 있는 거야? 자국민이잖아?"

"왕을 지키기 위해서란 이유는 모든 윤리를 초월해요."

"왕……?"

"절대정의."

아멜리는 단언했다.

"우리는 늘 올바르며 틀리지 않아요."

엄격한 음성이었다. 반론을 허락하지 않는 압력이 있었다.

그건 펜드 연방을 지켜 온 긍지일 것이다. 아멜리를 에워싸고서 지비아를 노려보고 있는 부하들도 다들 눈에서 사명감이 타오르고 있었다.

"자, 리틀 레이디. 저희에게 어떤 태도를 보여야 할지 알겠죠? 만약 아직도 숨기는 게 있다면—."

"마스터."

새로운 부하가 달려왔다.

흥이 깨진 듯『배리어스』의 멤버가 그를 바라보았다. 하지만 달려온 남자의 파랗게 질린 얼굴을 보고서 아무 말도 못 했다.

"큰일 났습니다."

아연실색한 목소리였다.

"조금 전에— 다린 황태자님이 암살당하셨습니다."

그 자리에 있는 모두가 숨을 삼켰다.

지비아도 아무 말도 할 수 없었다.

시간이 얼어붙은 것처럼 누구도 움직이지 못했다.

그건 있어선 안 될 부고였다.『배리어스』는 황태자를 지키기 위해 움직였던 거니까.

"거짓말, 이죠……?"

아멜리가 힘없이 신음했다.

◇◇◇

세계가 경악할 뉴스는 간단히 전달되었다.

국방부의 연구소를 방문했다가 궁전으로 돌아온 다린 황태자가 공무 차량에서 내린 순간 라이플로 저격당했다고 한다. 바늘구멍을 통과하는 것 같은 정확한 사격은 경호원들 사이를 지나 황태자의 머리를 날렸다.

『배리어스』 외에도 많은 첩보팀이 다린 황태자를 지키고 있었다. 그중 누구도 암살을 막지 못했다.

말도 안 된다고 지비아는 직감적으로 파악했다.

우선 이점이 전혀 없었다.

군사력 세계 2위인 펜드 연방을 적으로 돌리는 행위였다. 그럴 만한 이점이 이 테러에 존재할 것 같지는 않았다. 펜드 연방의 국민이 비탄에 잠기고 일시적으로 혼란스럽겠지만, 그것도 짧은 기간일 것이다. 미친 혁명가가 아니라면 건드릴 리가 없었다.

실행범은 틀림없이 전 세계를 적으로 돌렸다.

지비아는 한동안 그 뉴스를 믿을 수 없었다. 『배리어스』 사람들도 똑같은 심정이었을 것이다.

『배리어스』의 차를 타고 현장으로 이동하는 동안 아무도 말을 꺼내지 않았다.

수도 휴로에 있는 궁전에 도착하니 심야임에도 불구하고 많은 사람이 모여 있었다. 지역 경찰이 교통을 통제하며 사람의 이동을 제한 중이었다. 일반인은 접근하지 못하게 막고 있는 것 같지만, 조만간 이 부고는 전 세계에 전해질 것이다.

궁전의 출입구에는 피가 생생히 남아 있었다.

지면을 붉게 물들인 피는 딱 한 사람의 분량이었다. 시체는 없었다.

경찰과 CIM 관계자로 보이는 사람이 소리를 지르며 현장을 오가고 있었다. 저격한 스나이퍼를 구속하기 위해 혈안이 되어 수색하고 있었다.

아멜리가 지비아와 클라우스의 멱살을 난폭하게 잡아 현장에 세웠다.

"……다린 황태자님은 여기서 살해당했어요."

날카로운 어조로 아멜리가 말했다.

"알아내세요, 손님."

"아니, 그렇게 말해도……."

지비아는 눈썹을 찌푸렸다.

단순한 살인 현장을 보여 줘 봤자 지비아가 할 수 있는 일은 아무것도 없었다. 시체는 이미 다른 곳으로 옮겨졌다.

"알아내라고요! 똥개들!"

아멜리가 언성을 높였다.

그녀치고는 드물게도 큰 목소리였다. 통렬한 감정을 똑바로 부딪쳤다.

—『배리어스』는 임무에 실패했다.

황태자 암살 미수 사건의 용의자를 잡지 못하여 암살을 막지 못했다. 물론 『배리어스』만의 책임은 아니었다. 펜드 연방의 첩보 기관인 CIM 전체의 패배였다.

"우리한테 화풀이하지 마."

클라우스가 안타깝다는 듯 고개를 가로저었다.

"……란이 했다는 흔적은 없어. 압수한 증거를 보여 줘. 도와줄 수 있을지도 몰라."

"그런 중요 기밀을 보여 줄 것 같나요?"

강한 거절이었다.

그리고서 아멜리는 불만스럽다는 얼굴로 혀를 찼다.

"……다린 님을 쏜 건 딘 공화국산 총알이었어요."

"그래. 하지만 그것만으로는 란이 했다는 증거가 안 돼."

"따로 용의자가 있나요?"

"그걸 찾는 건 너희가 할 일이야."

"……윽."

"거듭 말하지만, 란이 암살에 관여했을 리가 없어."

"……알고 있는 걸 전부 실토하세요. 안 그러면 인질을 죽이겠어요."

"얘기할 수 있는 건 전부 밝혔어. 어쩔 거지? 수색을 계속할 건가? 우리는 이제 뭘 하면 돼? 아니면 나와 싸울 걸 각오하고 인질을 고문할 건가?"

클라우스는 연민하는 듯한 시선을 보내고 있었다.

아멜리는 지비아와 클라우스의 멱살을 놓았다.

"—돌아가세요."

"어……?"

"방해돼요. 인질도 풀어 주겠어요. 어차피 당신들은 『뜬구름』을 못 잡아요."

아멜리의 목소리가 점차 떨렸다.

"……저는 예전에 다린 님을 뵌 적이 있어요. ……저 같은 음지의 인간에게도 미소 지어 주셨어요. 우리가 지켜야 할, 빛이었어요. 오랫동안 이어진 대전의, 마지막까지 희망을 지탱했던…… 그걸 지키는 것이, 제 사명이라고……."

아멜리는 손으로 눈가를 가렸다.

그 사이로 물방울이 흘러내렸다.

"다린 황태자 전하……!"

젖은 지면에 무릎을 꿇고서 아멜리는 목 놓아 울기 시작했다.

감정이 없는 기계 같은 인간이라고 생각했는데 그렇지 않았다. 철가면을 벗어던진 것처럼 그저 한 여성이 울고 있었다.

클라우스가 지비아의 어깨를 두드렸다.

"가자. 우리가 할 수 있는 일은 아무것도 없어."

그렇지, 하고 대답했다.

아멜리는 이제부터 저격수를 찾는 데 전념할 것이다. 자신들은 방해만 된다.

"하나 가르쳐 주세요."

뒤에서 말을 걸어왔다.

돌아보니 눈가가 빨갛게 부은 아멜리가 있었다.

"당신들은 적인가요? 아니면 아군?"

"아군이야."

클라우스가 대답했다.

"펜드 연방과 적대할 마음은 없어."

"그렇다면 당장 『뜬구름』을 찾아서 저한테 데려오세요."

"데려오면 어쩔 건데?"

"고문하고 말살할 거예요."

눈물에 젖은 아멜리의 눈에 분노의 색이 어리기 시작했다.

"『뜬구름』을 감싸겠다면— 우리 CIM은 전력으로 딘 공화국을 없애겠어요."

클라우스는 아무런 대답도 하지 않았다.

◇◇◇

세계가 일그러지기 시작한다.

칠흑 같은 악의에 의해 또 하나 희망을 잃는다.

◇◇◇

밤부터 내리기 시작한 비가 창문을 거세게 두드렸다.

일기 예보에 의하면 심야에는 그친다고 했지만, 도저히 그럴 것 같지 않았다. 거리가 통째로 씻겨 내려갈 듯한 빗소리가 방에 후드득후드득 울렸다.

"……응."

에르나는 주방에서 우유 수프를 끓이고 있었다. 머리에 얼음주머니를 올리고 균형을 잘 잡으면서 나무 주걱을 쥐고 있었다.

"잔뜩 만들었어. 너무 많을 정도야."

버터, 밀가루, 향미 채소, 베이컨을 듬뿍 넣은 냄비를 휘저었다. 맛을 보려고 작은 그릇에 담고, 숨을 후후 불어 꼼꼼히 식혔다.

하지만 채소를 하나 먹어 보니 무심코 한숨이 나왔다.

"……달라."

문제없이 익기는 했다. 채소는 신선한 걸로 사 왔다.

하지만 뭔가가 달랐다.

'크노 씨의 채소는 더 맛있었어…….'

대체 뭐가 다른 걸까, 하고 에르나는 눈을 감고 생각했다.

◆◆◆

—밀월 24일째.

『봉황』과 『등불』의 교류가 완전히 깊어진 시기였다.

특히 이 시기에는 『등불』의 휴가도 끝나서 국내 방첩 임무에 힘쓰고 있었다. 임무가 벽에 부딪쳤을 때 클라우스에게 조언을 구해도 해결되지 않는 일이 많았으나 그럴 때는『봉황』이 도와줬다.『등불』의 소녀들에게는 분한 사실이지만, 그들의 조언을 따르면 임무는 수월하게 진행됐다.

이리하여 교류는 공적으로도 사적으로도 깊어졌다.

하지만 그렇기에 두드러졌다. —『등불』과 전혀 교류하지 않는『봉황』의 멤버가.

그 인물은 대체로 정원 끝자락에 늘어서 있는 플랜터 앞에 있었다.

"……옳다, 열매를 맺었다."

『개풍』 크노.

불온한 가면을 쓴 거한이었다.

곰처럼도 보이는 거구의 남자는『등불』의 소녀들과 얼굴도 마주하지 않고서 묵묵히 채소에 물을 주고 흙에 비료를 섞었다.

—왜 저 남자는 남의 정원에서 멋대로 채소를 기르고 있는가.

—대체 무슨 목적으로 아지랑이 팰리스를 찾아오는 것인가.

의문은 끝이 없었고,『봉황』의 남성진인 빈드와 빅스에게 물어도 「내가 알겠냐」「수수께끼예요♪」라고만 대답했다. 비교적 삭막한 관계인 것 같았다.

그 결과,『등불』의 소녀들은 이따금 수상한 인물을 관찰했다.

그날은 릴리와 에르나가 관찰했다. 그늘에 숨어서, 크노가 뭔가 좋지 못한 일을 꾸미는 건 아닌지 살폈다.

「그나저나 보통 남의 정원에서 채소를 기를까요?」하고 릴리가 말했다.

「조심해야 해. 『봉황』을 상식으로 가늠해선 안 돼」 하고 에르나가 답했다.

크노는 플랜터 앞에 쭈그려 앉아 커다란 등을 보이고 있었다.

두 사람은 속닥속닥 대화했다.

"수상해요. 아까 제 꽃에 벌레를 붙였어요."

"릴리 언니, 꽃도 키워?"

"네. 주로 독을 품은 꽃이지만요. 조달하기 어려운 건 직접 키우고 있어요."

"성실해."

"그래서 크노 씨의 채소는 라이벌로 보고 있어요!"

"쉿. 그렇게 소리 지르면 상대방한테 들릴지도 몰라."

크노가 돌아보았다.

"……아니. 들린다. 너희는 너무 시끄럽다……."

""헉?!""

낮은 목소리로 말을 걸어왔다.

계속 숨어 있기도 멋쩍어서 릴리는 「아하하~」 하고 웃음으로 얼버무리며 앞으로 나갔다. 낯을 가리는 에르나도 힘을 내서 뒤따랐다.

"그냥 단도직입적으로 묻겠는데요."

릴리가 크노 앞에 섰다.

"왜 다른 『봉황』 멤버들처럼 간섭하지 않는 거죠?"

"……그래야 마땅하기 때문이다."

크노는 작게 고개를 끄덕였다.

"……나는 빈드와 빅스의 그림자다. ……눈에 띌 필요는 없다. 마지막까지 모습을 감추고 어둠 속에서 꿈틀거릴 뿐……. 이곳에는 『봉황』의 동료로서 오고 있다……. 그저 의리다……."

그의 말은 한마디 한마디가 무거웠다.

"……나는 눈에 띄지 않는 편이 좋다."

체념이 섞여 있는 것처럼 들리기도 하는 목소리였다.

예사롭지 않은 결의가 느껴졌다. 확실히 빈드와 빅스는 뛰어나게 우수한 존재다. 차원이 다른 두 남자와 있다 보면 열등감을 느낄 때도 있을 것이다.

에르나와 릴리는 동시에 숨을 삼켰다.

"그건 혹시."

"스파이로서의 신념인가요?"

"……나는 부끄럼이 많다."

""이유가 약해!""

두 사람은 저도 모르게 외쳤다.

그러나 그 후 「하지만 이해해!」 하고 에르나도 동의했다.

크노는 가면 너머에서 에르나를 바라보았다. 부끄럼쟁이들끼리 생각하는 바가 있는 것 같았다.

"……너는, 다르다."

"응?"

에르나가 고개를 갸웃했다.

"……혈족이 아니다. ……하지만 비슷한 위치에 있다. ……그렇다면…… 보아라. 나의 기술을……."

크노는 두 팔을 벌렸다.

"코드 네임 『개풍』— 짖어 숨을 시간……."

그의 양손에는 호스가 들려 있었다. 가느다란 고무호스였다. 그 호스는 둘 다 그의 좌우에 있는 플랜터로 뻗어 있었다. 그가 채소를 심어 둔 곳이었다. 알에서 병아리가 부화할 때처럼 흙 표면에 금이 간 순간, 코드가 채소와 함께 튀어나왔다.

호스에서 불이 났다.

릴리와 에르나를 에워싸듯 불길이 타올랐다.

플랜터에 그런 장치가 되어 있다는 것을 소녀들은 눈치채지 못했었다. 고무호스에는 기름이 흐르고 있었을 것이다.

"……나에게 이 세계는 너무 눈부시다……."

타오르는 불을 바라보며 크노는 말했다.

"……비틀린 나에게는 숨 막히는 것들뿐이다. ……하지만 보아라. 그렇기에…… 마지막 순간까지 숨어 있다가…… 터지는 불꽃은 특별히 아름답다……. 이 불꽃의 색깔만이 나의 영혼이다……."

하늘을 올려다보는 그의 얼굴에는 가면과 피부 사이로 틈이 생겨나 있었다. 그 틈으로 어린아이처럼 반짝이는 천진난만한 표정이 슬쩍 보였다.

불은 금방 꺼졌다.

땅에 굴러다니는 무와 당근에서 향긋한 냄새가 났다.

"……아까 무당벌레가 붙어 있었다. 익충이다……. 태워 죽이기 전에 옮겼다……."

크노는 까맣게 탄 무를 주워 껍질을 조금 벗겼다.

강렬한 화력으로 순식간에 쪄졌는지 싱그러운 빛깔의 속살이 모습을 드러냈다.

"……구운 채소다. 껍질을 벗기면 먹을 수 있다. ……내 동료가 폐를 끼치고 있다. 다른 녀석들에게도 나눠 줘라……."

크노는 채소들을 소쿠리에 담아 에르나에게 내밀었다.

그가 정성껏 기른 무와 당근은 시판 채소보다 훨씬 크고 질이 좋았다. 딱 보기에도 단맛이 날 것 같았다.

릴리는 멍하니 입을 벌리고 있었다.

"혹시 이걸 주려고 거의 한 달간 여기서 지낸 거예요?"

"……옳다."

"너무 성실해!"

에르나가 크게 외쳤다.

크노는 『등불』과 매일같이 엮인 인물은 아니다.

생각해 보면 남들과 다른 감각을 가진 존재였다. 『등불』의 아네트처럼 보통 사람은 이해할 수 없는 감성을 토대로 움직였다. 불꽃이 하늘을 뒤덮었던 한순간, 기분 좋은 듯 황홀하게 말했던 음성에서도 그의 위험한 본성이 엿보였다.

하지만 『등불』의 소녀들 앞에서는 그 본성을 숨기고 자상한 연장자로서 대해 줬다.

본능과 이성을 오가는 기술자—『개풍』 크노.

◆◆◆

에르나가 가스레인지의 불을 끄자 노크 소리가 울렸다.

크게 두 번, 작게 한 번, 크게 한 번.

미리 정해 둔 부호였다. 미행도 붙지 않고 무사히 돌아온 모양이다. 에르나가 즉각 문을 열자 지비아가 지친 얼굴로 서 있었다.

"지비아 언니!"

지비아는 「그래, 다녀왔어」 하고 손을 흔들었다. 거센 비를 맞았는지 옷이 쫄딱 젖어서 바닥에 물방울을 떨어뜨리고 있었다.

「고생했어」 하고 말하며 에르나는 수건을 건넸다.

"그래…… 응?"

지비아가 머리를 닦고서 의아해하며 물었다.

"너, 머리 왜 그래? 그 얼음."

"살짝 부딪쳤어."

에르나는 머리 위에 올린 얼음주머니를 잡았다.

"문제없어. 그보다 지비아 언니 쪽이—."

"아~ 이쪽도 괜찮아. 조금 머리를 식히고 싶었을 뿐이야."

"응?"

"꽤 여러 가지 일이 있었거든. 충격적인 일이."

지비아는 물을 잔뜩 먹은 옷을 벗고 난로 앞 의자에 앉았다. 속옷 차림으로 앉아서 젖은 옷을 말렸다.

지금까지 있었던 일을 간결하게 이야기했다.

『배리어스』라는 조직에 붙잡혔고, 『봉황』이 다린 황태자 암살 미수 혐의를 받았던 것. 란을 찾기 위해 각지를 돌아다닌 것. 〈백로 저택〉이라는 곳에서 왈츠를 추는데 갑자기 다린 황태자의 부고가 도착한 것.

에르나의 눈이 휘둥그레졌다.

놀라운 점이 여럿 있었지만, 가장 놀라운 건 마지막으로 들은 내용이었다.

"다린 황태자가, 살해당했어……?"

"그래. 솔직히 의문투성이야. 진짜 어떻게 된 건지 모르겠어."

"……경천동지할 일이야."

"심지어 그 용의자가 란— 한 식구라는 것도 웃어넘길 수 없지."

지비아는 생각에 잠긴 얼굴로 중얼거렸다.

그랬다. 이번 일은 의문점이 많았다.

—『봉황』은 왜 괴멸했는가.

—『배리어스』는 왜 『봉황』을 황태자 암살 미수의 범인으로 쫓고 있는가.

—그리고 기어코 황태자를 암살한 범인은 누구인가.

—무슨 목적으로 황태자를 죽였는가.

지비아는 머리를 긁적였다.

「어쨌든 정보를 정리해 나갈 수밖에 없어」 하고 에르나가 말했다.

"그렇지."

지비아도 고개를 끄덕였다.

"일단 밥부터 먹고 싶어. 배고파."

"방금 완성한 참이야. 그보다 선생님은?"

"『배리어스』의 거점에 들러서 티아를 회수해 온다고 했어. 곧 있으면 오지 않을까?"

"……그럼 속옷 차림은 좋지 않아."

"알고 있어. 이런 모습을 하루에 몇 번이나 그 녀석한테 보여 줄 순 없지."

"몇 번이나? 벌써 보여 줬어?"

"윽! 아, 아니, 방금 그건 그냥 해 본 말이야! 잊어버려!"

"응?! 빰 찌르지 마!"

"좋아. 그럼 먼저 샤워라도 하고 올게."

"응. 몸을 덥히는 편이 나아."

"이대로 있으면 감기 걸릴 것 같으니 말이지."

"맞는 말이오."

새로운 목소리가 끼어들었다.

돌아보니 이제 막 샤워하고 나온 란이 서 있었다.

"빨리 샤워하시오. 건강은 중요하오, 지비아 공."

『배리어스』가 열심히 수색 중인 소녀—『뜬구름』 란이 웃어 보였다.

3장 반격

지비아는 샤워하고 나서 에르나가 만들어 준 저녁을 먹었다. 콩과 양파와 베이컨이 듬뿍 들어간 우유 수프를 입에 넣자 자연스럽게 한숨이 흘러나왔다. 빵을 찢어서 적셔 먹어도 맛있었다.

좋은 냄새에 이끌렸는지 란과 에르나도 식탁 앞에 앉았다. 특히 란은 공복이었는지 지비아와 똑같은 양의 빵을 먹었다.

"그래서? 어땠소?"

란이 즐거운 모습으로 물었다.

"실제로 『배리어스』와 접촉해서 진실에 다가갔소?"

"그러는 너는 오늘 종일 뭐 했어?"

"낮잠 잤소."

"팔자 한번 좋네."

"어쩔 수 없지 않소. 소생은 숨어 있어야 하는 처지요. 싸돌아다닐 수도 없소."

란은 크게 하품했다. 정말로 오랫동안 잔 것 같았다.

평온한 표정을 짓고 있는 소녀에게 지비아는 밝혔다.

"너, 다린 황태자 암살 미수 혐의를 받고 있었어."

"허?"

란이 얼빠진 소리를 냈다.

지비아는 고했다.

"아니, 미수가 아닌가. 아까 암살당했어. 그리고 가장 유력한 용의자도 너야."

"하아아아아아아아아아아아아아아아아?"

란은 경악하며 식탁을 짚고 상체를 앞으로 내밀었다.

"영문을 모르겠소! 어떻게 된 거야?!"

란은 한바탕 외치고서 텔레비전 리모컨을 집었다.

한동안 지지직거리는 화면이 이어지다가 뉴스 채널이 나왔다. 다린 황태자가 암살됐다는 긴급 속보 자막이 반복해서 나오고 있었다.

"끼약!!"

란이 비명을 지르고서 나자빠졌다.

"의미 불명이오! 의미 불명이오!"

란은 바닥을 데굴데굴 굴렀다. 예상치 못한 정보가 이어져서 뇌의 허용치를 넘은 걸까.

지비아가 무시하고 있으니 쿵쾅거리는 발소리가 들려왔다.

혐오감을 표정으로 훤히 드러낸 소녀가 곧장 달려왔다. 모니카였다.

"시끄러워어어어어어어어어어어어어어어!"

"으헉!"

방에 뛰어든 모니카가 도약하여 깔끔한 앞 공중 돌기를 선보인 후, 란의 복부를 발꿈치로 다이내믹하게 찍었다.

"있잖아, 자각이 있는 거야? 너는 절대 발각되면 안 되는 처지거든?"

짜증을 노골적으로 드러내며 모니카는 팔짱을 끼었다.

란은 배를 부여잡고서 고통스레 뒹굴고 있었다.

"부, 부상자에게 너무하오!"

"그럼 소리 지르지 마. 너는 절대 발각되면 안 되는 인간이야."

"아, 알고 있소."

"……지금부터는 한순간의 방심이 죽음으로 이어져. 다음에 또 규칙을 잊어버리면 후려갈길 거야."

"인정사정없소……."

모니카가 진지한 어조로 고했고, 란은 곤란한 듯 눈썹을 내렸다.

지비아는 그런 두 사람의 모습을 무심코 바라보았다.

"왜?"

수프를 든 채 에르나가 물었다.

"아니, 약간, 좀."

지비아는 코를 긁적였다.

란이 웃고 있는 것이 감개무량했다. 합류했을 때는 표정이 달랐다. 이 세상의 온갖 절망을 맛본 것 같은 비통한 표정을 보였었다.

—란의 몸에는 여전히 많은 붕대가 감겨 있었다.

지비아는 조용히 눈을 감았다.

그리고 시간을 거슬러 올라갔다.

『봉황』의 괴멸을 알고 절망에 빠졌던 때까지.

◇◇◇

『봉황』의 괴멸을 알게 된 직후, 『등불』은 펜드 연방으로 떠났다.

눈물을 흘릴 새도 없이 몸은 움직였다. 사실을 받아들일 수 없었다. 보고서는 뭔가 착오가 있던 거고, 펜드 연방에 도착하면 빈드가 마중 나와서 「내가 죽을 리 없잖아」 하고 얄미운 소리를 해 줄 거라고 기대했다.

소녀들에게 『봉황』은 늘 격이 높은 존재였다.

신문사에서 훔친 사진을 보았을 때도 가공된 게 틀림없다고 생각했다.

마침내 진실과 마주하게 된 것은 란과 합류했을 때였다.

란은 산속 통신실에 죽은 듯이 누워 있었다. 복부에 감긴 피가 밴 붕대를 갈지도 않고 생기 없는 눈으로 누워 있었다. 제대로 밥도 먹지 않았다는 건 창백한 피부를 보면 알 수 있었다.

나중에 판명됐지만, 란은 팀이 괴멸하고 나서 밖으로 한 발짝도 나가지 않았다고 한다. 공화국의 연락책과 합류하지 못하여 란은 행방불명으로 처리되었다.

"영문을, 모르겠어요……."

입술만 미미하게 움직였다.

평소와 같은 장난스러운 『하오체』가 아니었다.

소녀들은 무슨 말을 건네면 좋을지 알 수 없었다.

"무슨 일이 있었지? 란."

클라우스가 란 옆에 무릎을 꿇고 앉았다.

"천천히 말해도 돼. 얘기해 줘. 사라, 란의 손을 잡아 줘."

지명받은 사라가 란 옆에 쭈그려 앉아 상처투성이인 손을 양손으로 잡았다.

란은 조금씩 말을 자아냈다.

"……닷새 전이었어요. 심야 두 시, 누군가가 거점에 들어와, 발포했어요. 적은 열 명이 넘었어요. 빅스가 벽을 파괴해서 길을 열었지만, 포위당해서……."

말이 일단 끊겼다.

란이 괴롭게 숨을 삼켰다.

"먼저 크노가, 던져진 수류탄으로부터 동료를 감싸고 폭사했어요. 빈드는 전원 생환하는 걸 포기하고 도주를 지시했고, 팔마가 적의 주의를 끌었어요. 그 틈에 큐르가 저를 강으로 밀었고……."

"……."

"저는 하류로 떠내려가서, 살았지만…… 상처 때문에 정신을 잃었어요……. 깨어났을 때, 근처에 있었던 라디오로 동료가 죽었음을 알렸어요……."

다시 말이 끊겼다.

란의 몸이 잘게 떨리기 시작했다. 그 후 그녀의 입에서 신음이 흘러나왔고, 직후 터질 듯한 절규가 울렸다.

"아…… 아아…… 으…… 아아아아아아아아아아아아아아아!!"

소리 지른 란은 잡고 있던 사라의 손을 놓고 통신실을 뛰쳐나갔다. 그러나 복도로 나간 순간 발이 걸려 고꾸라졌다.

입에서 토사물이 나왔다. 거의 위액이었다.

란은 토한 위액에 얼굴을 박고서 큰 소리로 외쳐 댔다.

"미안해요……! 빈드 오빠! 크노 오빠! 저는, 아무것도 못 했어요……! 오빠들이 부지해 줬는데! 나는! 나 혼자만! 큐르 언니도! 팔마 언니도! 빅스 오빠도! 누구 한 명도! 살리지 못했어요! 죄송해요! 죄송해요! 죄송해요!!!"

참회였다.

란은 몇 번이고 계속해서 동료에게 사죄했다. 눈물 콧물 범벅이 된 얼굴로 동료의 이름을 계속 외쳤다.

아직 열일곱 살인 소녀에게는 견디기 어려운 현실이었다.

"티아."

클라우스가 불렀다.

"케어해 줘. 부탁한다."

마음을 읽는 기술을 가진 티아는 알겠다며 짧게 고개를 끄덕이고서 란을 부축해 다른 방으로 유도했다.

란의 모습이 사라진 뒤로도 그녀의 울음소리만큼은 들려왔다.

"동포의 죽음은 언제나 괴롭군."

클라우스의 코멘트가 허무하게 울렸다.

그리고 그는 소녀들을 보았다.

"—너희도 같은 기분이겠지?"

침묵.

그 자리에 있던 일곱 소녀는 누구도 말을 꺼내지 못했다. 멀리서 들리는 란의 목소리에 귀를 기울이며 저마다 반응을 보일 뿐이었다.

지비아는 눈에 눈물을 그렁그렁 담고서 분한 듯 주먹을 움켜쥐고 있었다. 그레테는 눈을 감고 고개를 숙이고 있었다. 모니카는 낯빛을 바꾸지 않았지만 조용히 손가락을 문지르고 있었다. 사라는 눈물을 뚝뚝 흘리며 떨고 있었다. 아네트는 입을 벌리고서 천장을 올려다보고 있었다. 에르나는 눈이 빨갛게 부어서 기도하듯 양손을 깍지 끼고 있었다. 릴리는 뭔가를 각오한 것처럼 클라우스를 바라보고 있었다.

이것이 현실임을 받아들이지 않을 수 없었다.

펜드 연방에 잠입한 『등불』은 제일 먼저 지역 경찰과 접촉하여 『봉황』의 시신을 확인했다. 테레코강 옆에서 발견된, 딘 공화국 여행자 연속 의문사 사건—.

경찰은 그들의 시신을 사진에 담았고, 검시 결과도 기록해 두었다.

—『비금』 빈드는 죽었다. 많은 베인 상처를 입고, 다른 사람의 피를 뒤집어쓰고서.

—『상파』 빅스는 죽었다. 팔마를 감싸듯 끌어안고, 총알에 맞아서.

—『고익』 큐르는 죽었다. 기묘한 날붙이로 목을 베여서.

—『우금』 팔마는 죽었다. 빅스의 품속에서, 그녀 또한 총살당해서.

—『개풍』 크노는 죽었다. 하반신이 폭탄에 날아가서.

그들이 죽었다는 사망 보고는 틀림없이 진실이었다.

"우리가 할 일은 하나야."

클라우스만이 사무적으로 말했다.
"『봉황』을 죽인 녀석들을 밝혀낸다. 용서할 수 없어."
일곱 소녀는 동시에 고개를 끄덕였다.
릴리가 중얼거렸다.
"적은, 누구죠……?"
"우선 그것부터지."
클라우스는 「그레테」 하고 이름을 불렀다.
호명받은 붉은 머리 소녀가 한 걸음 앞으로 나왔다.
"구름 사이로 비치는 빛 같은 교묘한 함정을 깔아."
"……적은 『봉황』을 완벽하게 습격했습니다. 면밀하게 조사했을 터. 그렇다면 한 명을 놓쳤다는 것도 알 테고, 여전히 그 존재를 쫓고 있을지도 모릅니다."
그레테는 막힘없이 대답했다.
"『뜬구름』 란을 미끼로 『습격자』를 낚는다— 그런 뜻일까요?"
"—극상이야."
클라우스는 만족스럽게 고개를 끄덕였다.
"구체적인 계획은 너에게 맡기겠어. 펜드 연방 전체에 함정을 깔아. 티아는 한동안 란을 케어하는 데 전념시킬 거야. 그레테, 널 믿을게."
"……알겠습니다. 반드시 원수를 갚겠어요."
가슴 앞에서 주먹을 꽉 쥐고 그레테는 표정을 다잡았다.
그 직후, 소녀들은 즉각 통신실에서 나가려고 했다. 다들 당장 움직일 생각이었다. 『봉황』의 원통함을 풀기 위해.

하지만 붙잡는 목소리가 있었다.

"그 전에 하나 말해도 될까요?"

릴리였다.

어째선지 손을 위로 곧게 들고 있었다.

"아마 이번 싸움은 아주 가혹할 거예요. 우리보다 훨씬 강할 터인 『봉황』이……."

그 이상은 말하지 않고 숨을 삼킨 릴리는 갑자기 「호이야!」 하고 괴상한 소리를 냈다.

얼떨떨해하는 멤버들을 내버려 두고 일단 통신실을 나가더니 란과 티아의 손을 억지로 잡아끌고서 돌아왔다.

그대로—.

"호이! 야호이! 호, 호이!"

하고 분위기에 맞지 않는 들뜬 목소리를 내며 다른 소녀들의 손을 잡고 또 다른 사람과 손을 잡게 했다.

모두가 아연해하는 사이에 클라우스를 포함한 전원이 손을 잡게 되어 큰 원이 만들어졌다.

릴리는 그 원의 중앙에서 빙글 돌더니.

"스마일!!"

하고 손가락으로 뺨을 찌르고서 미소 지었다.

아무도 릴리를 쫓아가지 못하는 분위기 속에서 그녀 또한 동료들 사이로 들어가 양쪽 사람과 손을 잡았다.

"이건 뭐지……?"

마침내 클라우스가 지적했다.

"원진(圓陣)? 같은 거예요."

릴리가 웃었다.

"약속이에요. 아무도 죽지 말아 주세요. 이 이상 누구도 죽지 않고 다 같이 아지랑이 팰리스로 돌아가는 거예요. 그것만큼은 맹세해 주세요."

그 말에 몇몇 소녀가 쓴웃음을 지었다. 너무나도 릴리다웠다. 언제 어느 때든 웃음을 잃지 않고 주위 사람들을 격려하길 멈추지 않는다.

스파이답지 않은, 여학생 같은 언동이었다. 마치 동아리 활동이라도 하는 듯한.

하지만 릴리의 말은 이제부터 시작될 가혹함을 시사했다.

뻔히 아는 일이었다. 이제부터 자신들은 위험에 몸을 던진다.

엘리트들이 죽은 땅에서 자신들이 그 임무를 이어야 한다. 명명백백한 불가능 임무에 도전하는 것이다.

클라우스도 고개를 끄덕였다.

"일견 유치해 보이기도 하지만."

"뭐라고요?!"

"아주 중요하긴 해. 나도 말하지. 약속이다. ―전원, 살아서 돌아가자."

그의 말과 함께 모두가 손을 단단히 맞잡았다.

그 약속이 지켜지기를 기대하며.

소녀들은 2주간 시간을 들여 꼼꼼히 함정을 깔았다.

도발하듯 란이 소동을 일으켰다. 란은 펜드 연방 각지에서 발포 사건을 일으켰고, 그녀의 필적으로 어떤 문구를 벽에 적었다.

그걸 되풀이하면서 『등불』은 타깃을 파악해 나갔다.

—집요하리만큼 『뜬구름』을 수색하는 조직은 없는가.

클라우스도 CIM에 잠입해 있는 이중 스파이와 접촉하여 정보를 모았다. 사적인 친분을 잘 맺지 않는 스파이가 동료에 관해 아는 데이터는 미미했으나, 조금씩 어떤 기관의 이름이 부상했다.

어느 상층부의 직할 기관이 『뜬구름』이라는 스파이를 쫓고 있다고 했다.

그리고— 네 번째 도발 행위로 시계 가게를 습격하는 밤이 찾아왔다.

밤늦은 시각, 인적 없는 필레이드 거리에 스파이 두 명이 있었다.

입가를 마스크로 가리고서 몸을 숨기고 있는 모니카.

그리고 온몸에 감긴 붕대를 밤바람에 휘날리고 있는 란이었다.

“그럼 이번에는 여기서부터 시작이로군.”

란은 시계 가게의 뒷문을 따고 수월하게 내부에 침입했다.

재회했을 때 울기만 했던 소녀는 티아의 카운슬링 덕분에 이제 웃고 있었다. 다쳐서 완벽하게 움직이지는 못하지만 엘리트로서 우수한 기량을 발휘했다.

모니카는 란을 따라 시계 가게에 들어갔다.

가게 안에 여러 거울이 있음을 확인했다.

"나는 여기서 소동을 일으킬 거야."

모니카가 해설했다.

"그리고 여기 모인 인간을 촬영할 거야. 그중에 『봉황』을 습격한 인물이 있으면 당첨이지."

란이 「알고 있소」 하고 대답했다.

그게 도발 행위의 목적이었다. 생존자인 란을 미끼로 쓰고, 거기에 걸려든 인간을 모니카의 특기인 『도촬』로 전부 필름에 담는다.

모니카는 안쪽에서 앞문을 열고, 렌즈 커버를 열고서 밖으로 나갔다.

"자, 뭔가 범행 성명처럼 보이는 걸 적어 줘. 나는 그동안 공작할게."

"공작?"

"가로등 전원이 나가려고 하는 것처럼 깜빡거리게 할 거야. 카메라 플래시를 무마하기 위해서."

모니카의 손에 몇몇 공구가 있었다.

란은 바로 대답했다.

"적을 문구는 정해져 있소."

란은 품에서 스프레이 캔을 꺼내 시계 가게의 벽에 크게 글자를 적었다. 문구가 빨간색으로 거칠게 적혔다.

【우리는 불사의 나라의 복수자.
뜨겁게 타올라라, 재건에 취하라.】

모니카는 고개를 갸웃했다.

"이게 뭐야?"

"의미는 없소. 소생의 필적이기만 하면 되는 것 아니오?"

"뭐, 그렇긴 한데."

"아지랑이 팰리스의 벽면에도 그리지 않았소? 『등불』과 『봉황』. 그 둘의 조합이라면 하나밖에 없겠지."

란은 과거를 그리워하듯 눈을 가늘게 떴다.

"불새(피닉스)— 두 팀의 노래라오."

그렇구나, 하고 모니카는 중얼거렸다.

피닉스에 얽힌 일화는 당연히 알고 있었다. 수명이 다할 때 스스로 불에 뛰어들어 되살아나는 전설상의 새. 죽음과 재생을 상징하는 존재였다.

"그냥 죽지는 않을 것이오."

란이 말했다.

"업화에 몸이 불타더라도 몇 번이고 되살아나겠소. 어떤 곤경이 닥쳐도 포기하지 않을 것이오. 의지와 혼을 이어받아 우리는 이 땅에서 불사조로서 비상할 것이오."

모니카는 눈부신 것을 보듯이 그 노래를 가만히 바라보았다.

이윽고 작게 중얼거렸다.

"……이루어졌으면 좋겠네."

란이 「응?」 하고 반문했다. 못 들은 것 같았다.

모니카는 아무것도 아니라며 얼버무리고서 공작하러 갔다.

10분 후, 란은 시계 가게의 쇼윈도에 총을 쏴서 경보음이 울리게 했다.

필레이드 거리와 떨어져 있는 민가에서 두 스파이가 대기 중이었다.

통신기를 귀에 댄 그레테가 암호화된 메시지를 받고 있었다. 그레테는 그 복잡한 암호를 머릿속으로 바로 해석하여 옆에 있는 소녀에게 전했다.

"……모니카 씨에게서 메시지가 왔어요. 지금 시계 가게에 모인 집단은 『봉황』을 습격한 적과 일치한다고 해요."

"——!"

준비 운동을 하던 지비아의 눈이 크게 뜨였다.

그레테가 통신기를 귀에서 뗐다.

"……드디어 확정됐네요."

"그런 거구나."

지비아는 크게 숨을 들이마셨다.

그것은 수사선상에 올라 있던 조직의 이름이었다. 놀라기는 했다. 본래 딘 공화국과 적대할 이유가 없는 존재였다.

『봉황』을 죽인 이의 정체는—.

“『배리어스』— 펜드 연방 CIM의 첩보 부대가 『봉황』을 습격했나.”

그레테가 자료를 팔락팔락 넘기기 시작했다.

“……『조종자』라는 스파이가 통솔하는 팀이에요. 다른 조직과 교류가 없는, 의문점이 많은 집단이죠. 역시 『봉황』을 습격한 이유는 모르겠네요. CIM 상층부로부터 밀명을 받아 움직이는 거라고 추측되지만—.”

“아냐, 됐어. 그레테.”

지비아는 손을 흔들어 그레테의 말을 차단했다.

“괜한 정보는 주지 않아도 돼. 모르는 편이 더 잘 연기할 수 있을 것 같아.”

“하지만…….”

“아무튼 다녀올게. —『배리어스』한테 일부러 잡혔다가 올게.”

지비아는 애용하는 자동 권총에 총알을 넣고 재킷 안쪽에 갈무리했다. 의식을 각성시키는 카페인제를 삼키고서 각오를 다졌다.

“상대는.”

그레테가 고했다.

“『봉황』을 즉각 사살한 집단이에요.”

“그렇기에 내가 적임이잖아? 붙잡히는 역할은 너무 강한 우리 보스한테 부적합해. 장기간 움직일 수 있는 스태미나가 제일 많은 것도 나야.”

“…….”

"괜찮아. 이 이상— 나한테서 아무것도 빼앗지 못하게 할 거야."

지비아는 힘차게 고하고서 민가의 현관으로 향했다.

"저는, 지비아 씨를 친구라고 생각해요."

그레테가 말을 걸어왔다.

발을 멈추고 돌아보는 지비아에게 그레테는 주먹을 내밀었다.

"『시체』 임무 때도 그렇고, 신부 소동 때도 그렇고, 제 곁에는 줄곧 당신이 있었어요. 이번에도 함께 『배리어스』를 속여 내기로 해요."

그레테는 작게 고개를 기울이며 미소 지었다.

그래, 하고 지비아도 손을 들었다.

"……무운을 빌어요."

"너도."

지비아는 가볍게 웃고서 그레테의 주먹에 주먹을 맞댔다.

다시금 주먹을 고쳐 쥔 지비아는 밤안개가 낀 휴로의 큰길로 뛰쳐나갔다.

—그리고 시간은 돌아온다.

아무것도 모르는 양 필레이드 거리의 시계 가게로 간 지비아는 『배리어스』에게 구속당해 신문실로 끌려간다. 미리 짜 둔 대로 클라우스에 의해 구출된 지비아는 『배리어스』와 함께 란을 수색하기 시작한다.

클라우스는 아멜리와 함께 펜드 연방 각지로 이동한다.

그동안 『등불』은 계속 함정을 깔았다.

◇◇◇

노크 소리가 울렸다.

미리 정해 둔 리듬대로였다. 문 너머에서 익숙한 목소리가 들렸고, 지비아가 대답하자 문이 열렸다.

클라우스, 그리고 인질이었다가 풀려난 티아가 뒤이어 나타났다.

이로써 아파트에는 스파이 여섯 명— 지비아, 란, 모니카, 에르나, 티아, 클라우스가 모이게 되었다. 다른 멤버는 지금도 활동을 계속하고 있을 터다.

전부 계획대로 진행되고 있었다.

자연스럽게 클라우스를 중심으로 소녀들이 모였다.

"수고했어."

클라우스가 말했다.

"확정됐다. 『봉황』을 습격한 건 틀림없이 『배리어스』야."

그가 단언했으니 진실이리라.

클라우스의 직감일까. 혹은 인질이었던 티아가 잘 캐냈을 것이다.

—속고 속이는 건 피차일반인가.

지비아는 생각했다.

란과 이미 합류했음을 숨긴 『등불』. 그리고 『봉황』 멤버를 죽였음을 숨긴 『배리어스』. 합동 조사라는 건 이름뿐이고 줄곧 서로를 속이고 있었다.

이 세계에 협력은 있어도 우호는 없다.

아멜리가 했던 말이 가슴에 사무쳤다.

"다만 조금 문제가 생겼어."

클라우스가 살짝 표정을 흐렸다.

「응?」 하고 지비아가 고개를 갸웃하자 클라우스는 「기묘해」 하고 중얼거렸다.

"어째선지 아멜리는 『봉황』이 다린 황태자를 노렸다고 진심으로 믿고 있어."

"오해요!"

란이 외쳤다.

참을 수 없었던 것처럼 한 걸음 앞으로 나왔다.

"소생들은 황태자에게 접근할 이유조차 없소! 애초에 『봉황』의 목적은―."

"그래. 물론 너희를 의심하진 않아."

클라우스는 달래듯 다정한 시선을 보냈다.

"하지만 납득은 됐어. 『배리어스』가 왜 그렇게 강제적으로 습격했는지. 왕족을 지키기 위해서 그랬다면 이해가 가. 구속해서 자백하게 할 여유도 없었겠지. 왕을 해치는 자에게 자비는 없어. 가차 없이 사살해. ―때때로 그런 난폭한 수단을 택하는 나라야."

"……!"

란이 입술을 깨물었다.

“『배리어스』도 확고한 신념하에 움직이고 있어.”

그건 지비아도 느꼈다.

섬뜩하리만큼 기계적이었던 아멜리의 눈에는 강한 사명감이 깃들어 있었다.

“그럼 란 언니를 쫓는 이유도—.”

에르나가 숨을 삼켰다.

“—분명 처형하기 위해서일 거야.”

그 예상은 틀리지 않았을 것이다.

지비아는 자신이 아슬아슬하게 살아났다는 것을 다시금 느꼈다. 아멜리는 지비아가 귀중한 정보원일 수도 있기에 사살하지 않았을 것이다.

“흑막이 있어.”

클라우스가 말했다.

“『배리어스』는 가짜 정보를 받고 『봉황』을 괴멸시켰어. 누군가가 펜드 연방에 숨어 있어. 『봉황』에게 누명을 씌우고, 마침내 다린 황태자 암살에 성공했어.”

“그 흑막은 누구지…….”

티아가 눈썹을 찌푸렸다.

“첩보 기관 하나를 완전히 제어하고, 경호가 삼엄한 왕족을 암살하다니—.”

소리가 나서 말이 막혔다.

란이 테이블을 때린 소리였다. 눈에 눈물이 맺혀 있었다.

"즉, 말하자면 이런 것이오?"

란이 테이블을 한 번 더 세게 때렸다.

"—동료들은 단순한 오해로 살해당했다고?"

"그래."

클라우스가 단언했다.

"……!"

"그 요지를 『배리어스』에게 설명하도록 하지. 펜드 연방과 적대하는 건 득책이 아니야. 란을 『배리어스』와 대면시켜서 논리정연하게 이야기를 나누고, 다린 황태자를 암살한 진범이 따로 있음을 증명하는 것— 우리가 할 일은 그것뿐이야."

고해진 사실에 소녀들은 입을 다물었다.

클라우스가 한 말은 반론할 여지가 전혀 없는 대응이었다.

—『배리어스』는 거짓 정보에 속은 피해자다.

그들은 나라를 지킨다는 신념을 가지고서 『봉황』을 괴멸시켰을 뿐이다. 그들에게 악의는 없었다. 순수한 사명감으로 임무를 수행했다.

또한 클라우스가 말한 대로 펜드 연방과 싸워서는 안 된다. 딘 공화국 같은 시골 국가가 세계를 견인하는 대국 중 하나를 적대해봤자 좋을 게 하나도 없었다. 아멜리가 으름장을 놨던 것처럼 유린당할 뿐이다.

"하지만."

지비아가 끼어들었다.

"……뭐지?"

"그러면 『봉황』의 원통함을 풀 수 없잖아……!"

클라우스는 천천히 눈을 깜빡였다.

지비아는 눈이 휘둥그레진 란의 어깨를 끌어안고 클라우스에게 따졌다.

"사정이 있었어도 『봉황』 녀석들을 쏴 죽인 건 『배리어스』야. 그런데 우리 쪽에서 양보해서 당신들은 속고 있다며 상냥하게 타이르자고?"

"……."

"혹시 그 녀석들을— 용서하는 거야?"

"…………."

클라우스가 대답하기까지 간격이 있었다.

클라우스는 뭔가를 후회하듯 시선을 살짝 내리고 한 번 깊이 눈을 감았다가 부릅떴다.

"용서할 리 없잖아."

전율했다.

발산된 강한 살기에 소녀들은 숨을 멈췄다.

클라우스는 고개를 가로저었다.

"착각할 만하게 말했군. 오해하지 마. 그 어리석은 자들을 용서할 마음은 조금도 없어. 어떤 이유가 있었든 간에 『배리어스』의 행위는 용납되지 않아."

내씹는 듯한 말투였다.

클라우스가 이토록 화내는 모습을 소녀들은 본 적이 없었다.

"즉시 복수를 실행한다. 『배리어스』는 적이야."

"하, 하지만—."

티아가 허둥지둥 끼어들었다.

"실제로 어쩌려고? 그들은 란이 다린 황태자를 죽였다고 믿고 있어. 이런 상황에서 우리가 『배리어스』를 공격하면 펜드 연방과 전면전이 벌어질지도 몰라."

"물론. 스파이로서 올바른 복수를 할 거야."

"올바른 복수?"

"오히려 그 방법밖에 없는 게 실정이지. 솔직히 지금 상태의 『배리어스』와 제대로 이야기를 나눌 순 없을 거야."

이윽고 클라우스는 고했다.

이제부터 시작될 복수의 전모를.

"다른 소녀들은 이미 움직이고 있어. 우리는 오늘 밤중에—."

◇◇◇

자세한 작전을 전달받고 『등불』의 소녀들은 준비에 착수했다.

그리고 모니카가 눈 깜짝할 사이에 뛰쳐나갔다. 척척 준비하더니 동료에게 아무런 말도 없이 모습을 감췄다.

'……?'

그걸 보고 클라우스는 위화감을 느꼈다.

아까 회의할 때도 모니카는 아무 말도 하지 않았었다. 모니카가 시큰둥한 게 어제오늘 일은 아니지만.

곰곰이 생각하고 있으니 한 소녀가 다가왔다.

“조금 의외였어.”

에르나였다.

클라우스에게 어리광 부리듯이 몸을 기댔다.

“뭐가 의외였지?”

“선생님이 굉장히 화낸 게.”

에르나는 기쁜 것처럼 미소 지었다.

“선생님도 『봉황』 사람들과 사이가 좋았어?”

“……그렇지.”

클라우스는 고개를 끄덕였다.

“너희만큼은 아니지만 교류는 있었어.”

“응…….”

“이전에도 말했지만, 동포를 잃은 아픔은 익숙해지지 않아.”

클라우스는 고개를 가로저었다.

복수의 불꽃을 속에 품고 있던 남자— 빈드의 모습이 머릿속에 떠올랐다. 타이밍이 조금만 달랐다면 그가 『화염』에 가입하는 미래도 있었을 것이다.

클라우스는 창밖으로 시선을 옮겼다.

“그렇기에 조금 난폭한 카드를 꺼냈어.”

“……?”

"좋아하지 않는 수단이지만. **그녀**가 진가를 보이는 건 이런 국면이야."

에르나가 의아해하며 고개를 갸웃했다.

클라우스는 그 이상 설명하지 않았다.

그 존재에 관해서는 언젠가 전해야 할 타이밍에 말하면 된다.

◇◇◇

아멜리는 휴로의 테레코강 옆에 있는 거대한 건물에 와 있었다.

첨탑 네 개에 둘러싸여 우뚝 서 있는 그 건물은 예전에 처형장이었다고 한다. 정치범이 차례차례 교수대에 올라 죽었다. 밤이 가까워지면 망령의 목소리가 들린다는 소문이 돌고 있었다. 건물을 에워싼 담장에는 까마귀가 늘어앉아 꺼림칙한 눈으로 거리를 보고 있었다.

—펜드 연방의 첩보 기관 CIM의 본부였다.

그 본부를 찾은 아멜리는 최상층의 한 방으로 들어갔다. 방 앞에 커다란 칸막이가 있어서 방문자에게는 내부의 모습이 잘 보이지 않았다.

"……『배리어스』는 뭘 한 거지?"

칸막이 너머에서 남성의 낮은 목소리가 들렸다.

곧이어 「한심하군」「다린 님이 죽게 하다니」라는 목소리가 이어졌다.

소문이 사실이라면 칸막이 너머에는 다섯 명이 있을 것이다.

CIM 최고 기관『하이드』—『배리어스』의 사령탑에 해당하는 존재였다. CIM 내 수십 개가 넘는 팀을 전부 그들이 움직이고 있었다.

아멜리는 깊이 머리를 숙였다.

"뭐라 드릴 말씀이 없습니다. 목숨으로 갚을 수 있다면 뭐든 하겠습니다."

칸막이 너머에서는 대답도 없었다.

관심 없다는 걸까.

아멜리는 손바닥에 땀이 맺히는 걸 느끼며 고개를 들었다.

"확인하고 싶습니다."

"……뭘 말이지?"

"다린 황태자님을 노린 건 정말로『뜬구름』입니까?"

"새삼스럽군."

"확인입니다. 우리의 적은 정말로『봉황』이란 조직이었을까요?"

죽을 수도 있겠다고 각오하며 아멜리는 의문을 던졌다.

하지만 신경 쓰였다. 종일 함께 행동했던 지비아라는 꼬마 아가씨(리틀 레이디)의 주장이.

원래 같았으면 상대하지 않았을 것이다. 하지만 다린 황태자가 죽은 지금, 그 주장이 아멜리의 마음을 약간 흔들고 있었다. 경멸하는 것 같은 클라우스의 눈도 떠올랐다.

칸막이 너머에서 대답은 없었다.

아멜리는 그대로 설명을 계속했다.

"다린 황태자 전하 주변에는 최고의 경비 체제가 갖춰져 있었습니다. 군인 여덟 명과 스파이 스무 명이 접근하는 자를 항시 감시하고 있었습니다. 우리가 아는 『뜬구름』의 실력으로는 돌파할 수 없습니다."

"......"

"『봉황』이 암살 미수 사건에 관여했다는 정보는— 진실일까요?"

클라우스는 증거를 보이라고 여러 번 압박했었다.

그때마다 아멜리는 거절했지만, 사실 증거 따위 가지고 있지 않았다. 『배리어스』는 최고 기관 『하이드』가 명령하는 대로 움직이는 특무 부대였다. 지시한 근거까지는 확인하지 않는다.

—『봉황』은 정말로 테러리스트였을까?

그 의문이 머릿속에서 사라지지 않았다.

"스파이는 체스말이다."

이윽고 말이 전달되었다. 싸늘한 목소리였다.

"주인을 의심하는 체스말이 어디 있지? 책임 회피인가? 『배리어스』도 땅에 떨어졌군."

"......"

"『뜬구름』을 당장 찾아라. 찾는 대로 죽여."

"......그 지시도 이해할 수 없네요. 정말로 암살에 관여했다면 『뜬구름』을 보좌한 인물도 있을 터. 즉각 죽이는 게 아니라 고문하는 편이 낫지 않나요?"

목숨 걸고 주인에게 의문을 던졌다.

하지만 돌아온 대답에는 열의가 없었다.

"이 이상 실망시키지 마라. 왕에게 맞서는 자는 모두 죽여."

"……."

"우리는 절대정의의 이름하에 있다. 늘 올바르며 틀리지 않아."

수없이 들은 말이었다.

아멜리도 그 말을 의심한 적은 없었지만—.

"너는 정의를 믿고 『봉황』을 습격하지 않았나?"

"……."

『봉황』 습격을 지휘한 사람은 아멜리였다.

그들의 아지트에 들어갔고, 이변을 감지하여 뛰쳐나온 청년에게 가차 없이 산탄총과 수류탄을 퍼부었다. 테레코강으로 도망치려고 한 그들을 몰아붙였다.

습격은 한 시간 넘게 걸렸지만, 『봉황』을 괴멸시키는 데 성공했다.

다섯 젊은이의 시체는 아멜리가 확인했다. 상층부의 지시였다지만 실행한 사람은 『배리어스』고 자신이었다.

자신이 믿는 정의를 따라 지금까지 자국민을 포함해 많은 인간을 죽였다.

—이제 와서 되돌릴 수 없다.

"물론이죠."

의연한 태도로 대답했다.

"실없는 소리를 했네요. 아무쪼록 추태를 너그럽게 넘어가 주시길."

치맛자락을 잡고 깊이 인사했다.

"—죽이겠습니다. 『뜬구름』을 처리하여 왕에게 칼을 겨눈 『봉황』을 전멸시키겠습니다."

칸막이 너머에서는 말이 없었다. 그러라는 뜻일 것이다.

아멜리는 다시 한번 머리를 숙이고 『하이드』의 방에서 나왔다. 실패한 책임으로 자신의 목이 날아가지 않은 게 다행이었다.

최고 기관으로부터 다시금 통지받았으니 이제 1초도 지체할 수 없었다.

—다린 황태자를 죽인 『뜬구름』을 당장 찾아서 처형한다.

그게 『배리어스』가 할 일이다.

'하지만 어쩌면 좋지? 딘 공화국의 동포조차 『뜬구름』을 못 찾았는데.'

머리를 굴리며 CIM 본부의 복도를 걸어갔다.

기묘한 괴리가 생겨나 있었다.

『뜬구름』은 살아 있다. 시계 가게에 적힌 문구의 필적이 증명했다. 하지만 동포와 합류하길 바라지는 않았다. 만약 합류하고 싶어 했다면 〈백로 저택〉에서 찾을 수 있었을 터다. 역시 동포를 배신한 테러리스트로 전락했는가. 하지만 그 가능성은 지비아와 클라우스가 강하게 부정했다.

누군가가 거짓말을 하고 있다.

정보에 노이즈가 섞여 있다.

가능성으로 들 수 있는 건—.

'—『등불』이 이미 찾아서 숨기고 있나?'

그 추측은 줄곧 머릿속에 있었다.

『등불』은 진실을 숨긴 채 자신들에게 접근한 걸지도 모른다.

'인질을 너무 빨리 풀어 줬나? 아니, 이 이상 『화톳불』과 적대하는 건 득책이 아니었어……. 지금은 무계획적으로 적을 늘릴 때가 아니야…….'

상대는 「세계 최강」이라고 자부하는 미친 남자다. 하지만 행동 하나 하나에서 그에 걸맞은 실력은 느껴졌다. 적대는 바람직하지 않았다.

아멜리는 생각했다.

'뭔가가 이상해…….'

소위 말하는 직감 같은 거였다.

나라를 지켜 온 첩보 부대의 보스 『조종자』의 감이 위화감을 호소했다.

'……그래. 생각해 보면 **『봉황』의 시신에는 수상한 점이 있었어.**'

아멜리가 거기까지 도달했을 때, 목적지에 다다랐다.

본부 내에는 『배리어스』를 위해 마련된 방이 있었다. 거기서 잠깐 눈을 붙이고 싶었다. 최근 며칠간 제대로 잔 날이 없었다.

문을 열자 소파가 나열된 공간에 티포트를 든 『연화 인형』이 서 있었다.

"—홍차를 끓였습니다. 마스터."

수녀복을 입은 부하가 온화한 표정을 짓고 있었다.

아멜리는 배려심 있는 부하에게 고맙다고 말하고서 감사히 홍차를 받았다. 한 모금 마시니 풍부한 홍차의 향이 비강까지 채워 숨과 함께 빠져나갔다.

"……아주 향이 좋네요. 실력이 늘었군요."

그윽한 향기에 마음이 편해졌다.

아멜리는 연화 인형을 보며 미소 지었다.

"오늘 밤 〈백로 저택〉에서는 훌륭히 행동했습니다. 자연스러운 흐름으로 리틀 레이디와 교대하여 화톳불과 춤췄네요."

"교대하자는 말은 그 아이 쪽에서 꺼냈습니다. 저는 아무것도 하지 않았습니다."

"하지만 화톳불과 직접 접촉할 기회를 얻었어요. 발신기는 붙였나요?"

"네, 마스터."

"훌륭해요. CIM이 비밀리에 개발한 극소형 발신기예요. 제아무리 그 남자가 대단해도 눈치채지 못하겠죠. 움직임을 보이면 바로 연락하세요."

아멜리는 클라우스를 완전히 풀어 준 게 아니었다.

그와 함께 행동한다고 새로운 성과를 얻을 수 있을 것 같지는 않았다. 일단 추방해서 수상한 움직임을 보이길 기다릴 속셈이었다. 그가 계속 옆에 붙어 있으면 기밀 정보를 다루기도 어려웠다.

"황태자님이 살해당했으니 『뜬구름』을 놓칠 수는 없어요. 온갖 수단을 써서 확실하게 죽이겠어요. 절대정의의 이름하에."

"물론이죠, 마스터."

『연화 인형』은 긴장한 얼굴로 고했다.

"실은 그 일을 포함해서 보고하고 싶은 일이 두 건 있습니다."

"두 건……? 네, 듣겠어요."

아멜리는 상체를 앞으로 내밀었고 문득 깨달았다.

늘 『연화 인형』과 함께 행동하는 또 다른 부관이 없었다.

"그 전에."

아멜리는 손으로 보고를 막았다.

"자괴 인형은 어디 갔죠?"

"자괴 인형은 볼일이 있어서 잠시 자리를 비웠습니다."

『연화 인형』이 조용히 답했다.

"아무래도 조금 신경 쓰이는 일이 있었던 모양이라—."

◇◇◇

『자괴 인형』이란 이름을 가진 소녀는 휴로의 뒷길을 걷고 있었다.

비는 여전히 거세게 내리고 있었다. 안개가 낀 것보다도 시야가 좋지 않아서 가로등 불빛을 벗어나면 한 치 앞도 보이지 않았다. 숨을 들이마시자 목 안쪽이 살짝 축축해지는 느낌이 들었다.

—확인해 두고 싶은 것이 있었다.

다린 황태자가 죽었다는 뉴스가 퍼지고 펜드 연방은 한동안 혼돈에 휩싸일 것이다. 적극적으로 스파이를 적발하게 되어 『배리어스』도 바빠질 터다. 정보가 흘러넘쳐서 사소한 뉴스가 묻히기 전에 확인하고 싶었다.

목적지는 시야 확보가 되지 않는 교외의 도로였다.

길가에 꽃다발이 놓여 있었다.

"……대체 누가?"

얼굴을 찌푸렸다.

그리고 다음 순간, 깜짝 놀랐다.

꽃다발 옆에 우산을 쓴 소녀가 서 있었다. 자정이 지난 심야임에도 불구하고, 열두 살 전후로 보이는 어린아이가 밤안개 속에 있었다.

꽃다발을 둔 사람은 이 아이일까.

『자괴 인형』은 아이에게 다가갔다.

"여기서 누가 죽었나요?"

"네! 어젯밤 금발 여자아이가 죽었어요!"

회분홍 머리 소녀가 밝게 대답했다. 외양이 기묘했다. 왼쪽 눈에 커다란 안대를 찼고, 머리를 난잡하게 묶어서 억지로 트윈테일을 만들었다.

"뺑소니를 당한 것 같아요!"

소녀의 대답은 묘하게 기운찼다.

"비참한 얘기네요."

『자괴 인형』은 눈썹을 찡그렸다.

"하지만 기묘하기도 해요. 오늘 여자아이의 시신이 발견됐다는 뉴스는 없었는데요."

"시신은 나님의 침상으로 옮겼어요!"

"당신이?"

"네! 다른 가족이 없거든요!"

"그렇군요……. 버려진 아이였나요."

납득했다.

휴로의 교외에는 고아 커뮤니티가 존재했다. 복지가 미치지 못하여 마피아의 심부름꾼이 되거나 교회의 지원을 받아 길거리 생활을 하고 있었다. 이 회분홍 머리 소녀도 그중 하나인 것 같았다.

『자괴 인형』은 머리를 숙였다.

"저는 아동 복지 종사자입니다. 시신을 확인해도 될까요? 매장을 도와드릴 수 있을지도 모릅니다."

회분홍 머리 소녀는 「알겠어요!」 하고 씩씩하게 대답했다.

"이쪽이에요!"

뒷골목으로 안내받았다.

휴로의 인구가 폭증했을 때, 골목에는 판잣집이 무수히 지어졌다. 지금은 그 수가 줄었지만, 노숙자나 고아가 판잣집에 자리 잡는 경우도 여전히 있었다.

『자괴 인형』이 예상한 대로 인적 없는 어두운 곳으로 유도되었다.

그는 회분홍 머리 소녀에게 보이지 않도록 몰래 쇠망치를 꺼냈다.

"그런데 나님, 깜짝 놀랐어요!"

"응?"

회분홍 머리 소녀가 돌아보더니 즐겁게 말했다.

"오빠 같은 사람이 여자아이를 치고 도망가는군요!"

"……."

『자괴 인형』은 눈썹 하나 까딱하지 않았다.

평정을 가장하는 건 익숙했다.

"무슨 말이죠?"

"어젯밤, 뒷좌석에 백발 여자를 태우고 있을 때요! 금발 여자아이를 차로 치고서 그대로 도망쳤어요!"

"……."

"내려서 확인도 했는데 말이죠! 귀찮다는 눈으로 내려다보고서 아무 조치도 없이 어딘가로 가 버리다니 너무해요!"

"…………."

역시나, 하고 『자괴 인형』은 고개를 끄덕였다.

—목격자가 있었다.

밤안개 속에서 시선은 느꼈었다.

어젯밤, 지비아를 뒷좌석에 태우고 운전할 때, 그는 **금발 소녀를 쳤다.** 그때 『자괴 인형』은 부러진 가로수 가지에 부딪쳤다고 거짓말하고 계속 운전했다. 뒷좌석에 있는 타국의 스파이에게 약점 잡히지 않기 위해서였다.

"나라를 지키기 위해서예요."

『자괴 인형』은 답했다.

"황태자님을 지키는 임무 중이었어요. 가난한 여자아이를 친 것 정도는 무시해야죠."

그는 손으로 쇠망치를 빙글 돌렸다.

"우리에게 잘못이 있어서는 안 돼요. 인적 없는 곳으로 안내하느라 수고했어요. 그럼 목격자는 때려 죽이겠—"

감정을 배제하고 합리적인 판단을 내렸다.

하지만 쇠망치를 치켜든 『자괴 인형』은 뒤늦게나마 알아차렸다.

'잠깐, 내가 빵소니범이라는 걸 알면서 이 소녀는 왜 안내를—.'

원래는 바로 알아차려야 할 사실이었다.

그러나 어째선지 시간이 걸렸다. 방심했다.

천사처럼 순진하게 웃는 소녀가 속에 사악함을 품고 있을 거란 생각은 못 하니까.

직후, 오른손이 움직이지 않는다는 걸 깨달았다.

—실이 감겨 있었다.

건물의 그늘에서 갑자기 튀어나온 와이어 같은 실이 『자괴 인형』의 오른팔을 고정했다.

"그 녀석의 실, 꽤 편리하네요!"

눈앞의 소녀가 즐겁게 우산을 내던졌다.

회분홍 머리 소녀—『망아』 아네트는 그 광기를 평소에 숨기고 있다.

이전에는 키워 준 엄마인 가르가드 제국의 스파이 마틸다조차 암살했다. 아네트는 천진난만한 소녀처럼 행동하며 가지고 있는 흉기를 상대가 의식하지 못하도록 유도한다.

란의 사기술 『잠복』을 어레인지하여 철저히 살의를 숨기는 사기술로 승화했다.

『공작』×『은악(隱惡)』— 무구(無垢) 살육.

"코드 네임 『망아』— 짜 올리는 시간을 가지죠!"

오른손이 떨어졌다.

눈앞에서 커다란 날붙이가 번뜩였고, 반응했을 때는 절단이 끝난 뒤였다.

『자괴 인형』의 오른손이 쇠망치를 쥔 채 잘렸다.

격통을 느끼고 땅에 쓰러졌다. 왼손으로 오른쪽 손목을 필사적으로 잡아 지혈하고자 했다. 하지만 출혈은 멈추지 않았다. 난생처음 느끼는 아픔에 뇌가 타 버릴 것 같았다.

"아, 아아아아! 아아아아아아아아아아아!!"

절규했다.

몸을 찢어발기는 것 같은 공포에 잠식됐다.

당장 오른팔을 회수하면 펜드 연방의 최첨단 의료 기술로 붙일 수 있을지도 모르지만—.

"나님, 오빠랑 취향이 맞아요."

회분홍 머리 소녀가 즐겁게 웃었다.

"『봉황』의 아지트에서 지비아 누님에게 동포를 잃은 기분이 어떠

냐고 물었죠? 아주 유머러스한 질문인 것 같아요. 자기들이 죽였으면서!"

그것까지 관찰했던 모양이다. 전혀 눈치채지 못했다.

아네트는 떨어진 오른손을 짓밟았다.

"그러니 나님도 물을게요! ―지금 기분이 어때요?"

사악이 눈앞에 서 있었다.

◇◇◇

클라우스가 소녀들에게 내린 지시는 단순했다.

―하룻밤 새『배리어스』전원을 납치해라.

―지원 요청할 틈을 주지 마라. 티끌 하나 남기지 말고 이 세상에서 존재를 삭제해라.

완전 범죄가 필요조건이었다.

『등불』이『배리어스』에게 위해를 가했다는 사실조차 남기지 않고 유괴한다. 그러면 펜드 연방과 딘 공화국 사이에 싸움은 발생하지 않는다.

『봉황』의 슬픔을 짊어지고서『등불』은 시동한다.

―유린하라. 그것이 일이다.

4장 『등불』과 『봉황』

◆◆◆

—밀월 28일째.

『봉황』의 다음 임무가 정해졌다. 슬슬 공화국에서 출발한다고 했다.

클라우스는 그날 빈드와 일대일로 식사했다. 훈련을 끝내고 클라우스 쪽에서 제안했다. 술이라도 같이 마시지 않겠냐고.

빈드는 의외라는 표정을 지었지만 거절하지는 않았다.

이제는 둘 다 스파이팀의 보스였다. 대등한 입장의 식사였다.

가게는 클라우스가 골랐다. 항구 부근에 있는, 어패류와 화이트와인이 맛있는 레스토랑이었다. 개별 룸으로 나뉘어 있어서 밀담에 최적인 장소였다. 창문으로는 항구를 오가는 대형 화물선을 볼 수 있었다. 바다 내음을 품은 해풍이 들어왔다.

빈드는 대식가였다. 잘 먹었고, 쏟아붓듯이 와인을 마셨다. 술에 강한지 아무리 마셔도 얼굴이 멀쩡했다.

겔 할멈이 좋아할 만하다고 클라우스는 생각했다.

『포락』 게르데— 클라우스의 옛 동료인 『화염』의 저격수였다. 그리고 빈드의 스승이기도 했다. 그녀는 고령이면서 술을 대량 섭취했다. 의외로 빈드와는 상성이 좋은 콤비였을지도 모른다.

화제는 이리저리 튀었다. 세계 대전 때 『화염』이 빈드의 고향을 구한 것에 관해. 그 당시는 클라우스와 『선혹』이라는 스파이가 가입하지 않은 상태였고 『홍로』의 전성기였다. 『봉황』의 전 보스 『원공』 아디에 관해. 실력은 좋지 않았지만 빈드는 그녀를 경애했다고 한다. 스파이의 보스는 어때야 하는지. 그레테의 연심에 대한 적절한 행동은 무엇인지.

"그나저나."

이윽고 식사도 막바지에 다다랐을 무렵, 빈드가 말했다.

"너희 팀은 쓰레기 이하야."

"아직 그 평가는 안 바뀌었나."

느닷없이 시비를 걸어왔다.

농담인가 싶었는데 빈드의 눈은 진지했다.

"너의 훈련법 때문에 성장 방식이 너무 뒤틀렸어. 기초가 약하고 꼴통인데 중요한 승부처에서 놀라우리만큼 실력을 발휘해. 위태로워서 보고 있을 수가 없어."

"하지만 재밌잖아?"

"그렇지."

빈드는 고개를 끄덕였다.

"나쁘진 않아."

빈드는 와인잔을 단숨에 기울였다.

"한 달간 우리가 밀착 지도해 줬어. 어느 정도는 괜찮아졌을 거야. 기초적인 기술을 중점적으로 주입했어."

"고마워."

"우리 훈련하는 김에 겸사겸사 한 거야. 어차피 처음부터 그게 목적이었잖아?"

빈드가 날카로운 시선을 보냈다.

클라우스는 고개를 끄덕였다. 바로 맞혔다.

"내 지도로는 너희 『봉황』을 이기지 못했어. 의지하는 게 최선이라고 생각했어. 교사로서 무력감이 드는 선택이었지만."

"시시해."

"……?"

"교사가 지도만 하는 건 아니잖아. 학생들끼리 서로 말을 나누는 환경을 만드는 것도 교사의 역할이야. 자기 자존심을 지키는 것보다 훨씬 가치 있어."

"……."

"극상— 너는 그렇게 평가하지 않나?"

클라우스는 눈을 크게 떴다.

허를 찔렸다. 그건 아주 오랜만이었고, 의외로 기분이 나쁘지 않았다.

—그렇군. 그런 교사도 있는 건가.

배울 게 많다고 감탄했다. 자신은 교사로서 아직 모자란 점이 많았다.

"겔 할멈이."

말했다가 정정했다.

"게르데가 날 도와주라고 너한테 부탁했다고 했지?"

빈드와 『포락』의 만남은 이미 들었다. 게르데는 당시 해군 정보부에 재적해 있었던 빈드에게 자신의 기술을 전수하고 어떤 부탁을 했다고 한다.

"그래."

빈드가 고개를 끄덕였다.

"너를 받쳐 주라고 했어."

"충분해. 내게는 과분한 동료야."

"기분 나빠. 남자끼리 칭찬해서 어쩌잔 거야."

빈드가 징그럽다는 것처럼 얼굴을 찌푸렸다. 진심으로 싫은 것 같았다.

"그렇게 말하지 마."

클라우스는 어깨를 으쓱였다.

"나는 언젠가 너를 뛰어넘을 거야. 거만하게 굴 수 있는 것도 지금뿐이야."

"흐음. 과연 그럴 수 있을까?"

"나뿐만이 아니야. 모니카, 빅스, 팔마, 그레테, 크노, 티아— 다음 세대는 자라고 있어. 한 달간 성장한 건 『봉황』도 마찬가지야. 언젠가 네 자리를 위협할 거다."

빈드가 그린 미래는 가슴 설레는 것이었다.

「그래, 기대하지」 하고 클라우스는 대답했다.

빈드의 견인으로 젊은 세대가 차례차례 성장해 나간다. 빈드라는 돌출된 남자가 주위를 자극하여 세대 전체가 성장해 나간다. 이제껏 『등불』에 없었던 라이벌의 존재가 소녀들을 분발시켰다.

클라우스는 게르데의 말을 떠올렸다.

—클라는 남을 의지할 줄 모르는구나.

엄격한 태도를 보이면서도 줄곧 클라우스를 신경 써 줬던 노파. 시간을 뛰어넘어 얻기 힘든 선물을 보내 줬다.

—고마워, 겔 할멈.

클라우스는 속으로 감사를 표했다.

—당신은 내게 소중한 걸 남겨 줬어. 새로운 동료를.

『화염』이 괴멸한 후 혼자서 분투했던 시기도 있었다. 하지만 이제 그럴 일은 없을 것이다.

“모레, 우리는 펜드 연방으로 떠나. 슬슬 헤어질 시간이야.”

“그래. 또 어딘가에서 만나지.”

“그래.”

“죽지 마.”

“당연하지.”

두 사람은 알고 있었다.

이 세계에서는 사람이 너무나도 잘 죽는다. 스파이라면 더더욱 그랬다. 두 사람은 동료의 죽음을 뛰어넘어 이곳에 있었다.

“설령 죽더라도.”

빈드가 와인을 들이켰다.

“그냥은 안 죽어.”

밀월 28일째는 그렇게 끝을 맞이했다.

『등불』과 『봉황』의 이별은 확실하게 다가오고 있었다.

◆◆◆

돌아오지 않는 『자괴 인형』은 일단 놔두고, 아멜리는 『연화 인형』에게 보고를 받았다.

『연화 인형』이 말하길, 지금까지 들어온 보고를 통해 두 가지를 알아냈다고 했다.

"마스터가 지시하신 대로 현재 두 명이 숲에 몸을 숨기고서 딘 공화국의 통신실을 감시하고 있습니다. 주변 일대에 접근하는 자는 아직 없다고 했지만—."

『연화 인형』은 자료 한 장을 내밀었다.

"혹시 몰라서 확인해 보니 이따금 불가사의한 전파가 확인되었습니다."

"전파?"

아멜리가 얼굴을 찌푸렸다.

보고가 올라온 곳은 낮에 클라우스가 안내했던 장소였다. 산속에 방치된 공사 현장의 관리 사무소에 있는 딘 공화국의 통신실. 『뜬구름』 란의 근거지로 여겨지는 흔적이 있었다.

그 통신실에서 전파 발신이 확인되었다고 했다.

"이상하네요. 그 방의 통신기는 간소했어요. 원격 조작도 예약 조작도 불가능해요. 직접 조작해야만 전파를 날릴 수 있을 텐데요."

누군가가 통신실에 있다고 생각할 수밖에 없었다.

하지만 그 건물에 숨어들었다면 반드시 감시에 걸렸을 터다.

"발신된 내용은?"

"의미 불명인 말의 나열입니다. 하지만 딘 공화국이 과거에 사용했던 암호문과 형식이 비슷한 게 있습니다."

"……."

이해할 수 없는 상황에 아멜리는 당황했다.

'『뜬구름』이 감시를 뚫고 통신실에 돌아왔나……?'

가장 먼저 떠오르는 건 그 가능성이었다.

"……애초에 당신은 왜 전파까지 확인한 거죠?"

"통신실을 아는 『등불』이 여전히 『뜬구름』과 합류하지 못한 것이 신경 쓰였습니다."

『연화 인형』은 즉답했다.

"『등불』도 놓친 샛길이 있는 게 아닐까 했습니다."

"그랬군요. 당장 조사해야겠어요."

"그리고 하나 더 보고할 것이 있습니다. 화톳불에게 설치한 발신기에 관한 겁니다."

이어서 『연화 인형』이 다른 자료를 내밀었다.

그녀는 춤추는 중에 클라우스에게 발신기를 부착했다. 그 이동 흔적을 나타낸 자료에는 클라우스가 호텔에 머물고 있다는 사실이 기록되어 있었다.

"……다린 황태자님이 살해당한 날, 태평하게 호텔에서 지내는 스파이가 있을까요. 눈치챈 거겠죠. 우리나라의 극소형 발신기를 용케도……. 그래서 이게 두 번째 보고인가요?"

"아뇨. 마스터에게 보여 드리고 싶은 건 두 번째 장입니다."

"두 번째 장?"

"화톳불에게는 옷깃과 허리, 이렇게 두 군데에 발신기를 부착했습니다. 허리에 부착한 발신기는 아직 눈치채지 못한 것 같습니다."

"——!"

눈을 크게 뜨면서 아멜리는 두 번째 장으로 자료를 넘겼다.

일단 호텔로 돌아간 『화톳불』이 휴로의 시가지로 이동을 개시한 흔적이 그곳에 확실하게 기록되어 있었다.

물론 함정일 가능성도 있었다.

하지만 그건 그것대로 재미있었다. 그가 자신들에게 보이는 감정이 무엇인지 명확해진다.

"잘했어요, 『연화 인형』."

아멜리는 손뼉쳤다.

"조금 의외네요. 당신이 이 정도로 자주성을 발휘하다니."

『배리어스』는 아멜리가 중심인 팀이었다. 대부분 아멜리가 생각했고, 부하는 충실하게 실행할 뿐이었다. 아멜리의 두뇌를 살리는 데는 그게 최선이었지만, 부관도 자유롭게 움직이면 좋겠다고 늘 느꼈었다.

그렇기에 『연화 인형』의 성장은 당목할 만했다.

"다린 님은 저희에게도 존귀한 분이었습니다."

그녀는 머리를 숙였다.

"이 꼭두각시 인형이 할 수 있는 일이라면 얼마든지 해내겠습니다."

"그렇죠…… 정말로……."

다린 황태자의 죽음을 애도하고 있는 건 자신뿐만이 아닌 모양이다.

아멜리는 크게 숨을 들이마셨다.

"팀을 둘로 나누겠습니다."

보통 같았으면 팀을 분산하는 작전은 짜지 않는다.

하지만 두 가지 문제가 동시에 발생한 상황에서는 그 방법밖에 없었다.

"『연화 인형』, 당신은 부하를 지휘하여 화톳불의 발신기를 쫓으세요."

"네……."

"저는 통신실에 진입하겠어요."

부하에게 고하고서 아멜리는 지휘봉을 한 손에 들고 일어났다.

"만약 『뜬구름』이 돌아와 있다면 즉각 죽이겠어요."

가슴속에서 고양감이 샘솟았다. 다린 황태자의 원수를 갚기 위해서라면 그녀는 어떤 수단도 마다하지 않을 것이다.

아멜리는 부하 열 명을 『연화 인형』에게 맡기고, 남은 열한 명의 부하와 함께 이동했다.

이로써 100시간 이상 연속 근무지만, 못마땅해하는 부하는 한 명도 없었다. 다들 다린 황태자의 죽음을 무겁게 받아들이고 있었다.

사기는 높았다.

어떤 어려움이든 극복할 수 있으리라고 예측했다.

아멜리와 부하들은 차량 세 대로 이동하여 휴로 끝자락에 있는 산을 올라 예의 그 공사 현장 부근에 도착했다. 접근을 눈치채지 못하도록 전조등을 끄고 숲속에 들어갔다.

비는 그친 상태였다. 땅은 아직 질퍽거리지만 움직임이 제한될 정도는 아니었다.

"차는 이쯤에서 멈출까요."

아멜리가 지시했다.

"더 접근하면 통신실에 있는 자에게 들킬 가능성이 있어요."

나무들 사이에 숨기고 아멜리는 차에서 내렸다.

그리고 등산을 시작하려다가, 부하가 타고 온 차가 이상하다는 걸 깨달았다.

'……묘하게 움푹해.'

의문스러워했다가 이내 떠올렸다.

'그러고 보니 『자괴 인형』이 여자아이를 차로 쳤다고 했죠. 시간이 좀 걸리는데, 무사히 목격자의 입을 막았을까요.'

CIM의 첩보원이 국민을 차로 쳐 죽였다는 건 대형 스캔들이다. 나라를 지키기 위해 쓸데없는 소문이 나게 둘 수는 없었다.

나중에 벌을 줘야겠다고 생각하며 산길을 올라갔다.

공사 현장 옆에서 대기하던 부하와는 바로 합류할 수 있었다. 아멜리를 보자 긴장한 얼굴로 고개를 끄덕였다.

“여전히 발신이 계속되고 있습니다. 통신실 안에 누군가가 있는 것 같습니다.”

“한시라도 눈을 뗀 적이 있나요?”

“아뇨, 2인 체재로 감시했습니다. 한시도 눈을 떼지 않았습니다.”

부하의 음성에는 자신감이 있었다. 거짓말은 아닌 것 같았다.

역시 어떻게 통신실에 잠입했는지 알 수 없었다.

“들어왔을 때처럼 샛길로 도망칠지도 몰라요. 빠르게 가죠.”

아멜리는 총 열세 명이 된 부하에게 말했다.

“관리 사무소를 포위하세요. 내부에 있는 자를 구속하겠습니다.”

설령 상대가 『뜬구름』이 아니더라도 수상한 인물인 건 변함없었다.

부하들은 권총을 들고 소리 없이 이동하여 관리 사무소를 포위했다. 이로써 안에 있는 인간은 어디로도 도망칠 수 없다.

마지막으로 아멜리는 부하 네 명을 데리고서 관리 사무소에 침입했다.

『연화 인형』에게 보고를 듣고 불과 40분 후였다. 이동 시간을 생각하면 신속한 대응이었다.

옆으로 긴 직육면체 같은 관리 사무소의 2층, 가장 안쪽.

방 앞에 도착한 아멜리는 실내에서 흘러나오는 소리를 들었다.

‘……역시 누군가가 통신실에 있나?’

아멜리는 뒤에 있는 부하에게 수신호를 보냈다.

—【목록 36번】. 즉각 발포할 것.

상대가 무지한 일반인이든, 숨어든 어린아이든, 가차 없이 쏴도 좋다. 최악에는 시체를 없애면 된다. 적일 경우의 위험성을 고려하면 합리적인 선택이었다.

자신들은 군인도 아니고 경찰도 아니다.

나라를 지키기 위해서라면 수단을 가리지 않는 스파이다.

아멜리는 통신실 문의 손잡이를 잡았다. 잠겨 있었지만, 다른 부하가 피킹 도구를 넣어 즉각 잠금을 풀었다.

"돌입."

통신실 문이 열렸다.

아멜리는 곧장 실내로 총구를 겨누며 방아쇠에 손가락을 걸었다.

쏜다.

그렇게 다들 준비하고 신속히 발포하려고 했지만—.

"……비둘기?"

멍해졌다.

통신기에 앉아 있는 것은 통통하게 살찐 바위비둘기였다. 통신기 위에 쌓여 있던 빵 부스러기를 쪼고 있었다. 부리가 통신기 버튼에 닿아 딸깍딸깍 소리를 냈다.

다른 사람은 없었다.

의미 불명의 암호는— 이 비둘기가 마구잡이로 송신한 거였나?

아멜리 일행이 굳어 있는 동안 비둘기는 문이 열린 걸 눈치챈 듯했다. 기회라는 것처럼 날갯짓하여 통신실 밖으로 날아갔다.

역시 발포할 마음은 들지 않았다.

한번 날아가 버린 비둘기는 잡을 수 없었고, 이내 깨진 창문 틈으로 빠져나갔다.

비둘기가 날아간 곳— 공사 현장이 내려다보이는 고지대에 소녀가 서 있었다.

뉴스보이캡을 쓴 소심해 보이는 갈색 머리 소녀였다.

"수고했습다, 에이든 씨. 이 시간까지 식사를 잘 참았네요. 기특함다."

그렇게 입이 움직였다.

—그녀가 비둘기를 통신실에 잠입시켰는가?

부정했다. 통신실은 잠겨 있었다. 아무도 관리 사무소에 접근하지 않았으니 불가능했다.

짚이는 인물은 한 명밖에 없었다.

아멜리와 함께 통신실에 들어와 문을 잠그기 직전까지 실내에 있었던 남자—『화톳불』 클라우스.

그가 떠나면서 숨기고 있던 비둘기를 넣었나. 옷 속에 동물을 숨긴 기색은 전혀 없었다. 완벽하게 조교된 비둘기와 기술이 없으면 할 수 없는 일이었다.

거기까지 생각이 다다랐을 때, 총성이 들렸다.

"마스터!"

이어서 부하의 비명이 들렸다.

"저희 통신기가 파손되었습니다!"

관리 사무소의 창문으로 황급히 공사 현장 쪽을 보았다.

강한 빛이 났다.

원래부터 공사 현장에 설치되어 있던 조명일 것이다. 금방 어두워지는 산속이라 설치된 투광기의 강한 빛이 현장 전체를 밝혔다. 기중기차와 트럭이 방치된 적적한 공간이 마치 무대처럼 밤의 어둠 속에 떠올랐다.

"잘 왔어, 『배리어스』 제군."

중앙에—『화톳불』 클라우스가 서 있었다.

발밑에는 기절한 『배리어스』의 부하 두 명. 그리고 그가 파괴했을 통신기가 있었다.

"이로써 다른 팀에 지원은 요청할 수 없어."

그의 목소리는 멀리서도 짜증 나리만큼 잘 들렸다.

"갑작스럽지만 슬픈 소식이야. 『배리어스』는 오늘 밤 말소될 거다."

돌연 압도적 강자가 나타나서 부하들은 한 걸음 물러나며 신음했다.

전부 그의 책략이었나. 『연화 인형』이 부착한 발신기는 둘 다 제거된 모양이다.

"—동요하지 마세요!"

아멜리가 외쳤다.

그리고 한 발짝 앞으로 나가 2층 창문으로 클라우스를 내려다보았다.

“유감이네요, 화톳불 씨. 역시 딘 공화국은 펜드 연방을 적대하는 거군요.”

“글쎄.”

“다린 님을 죽인 것도 당신의 지시인가요?”

“…….”

물었지만 클라우스의 반응은 둔했다.

아멜리를 연민하는 듯한 차게 식은 시선을 보냈다.

“지금은 대화할 마음도 안 드는군.”

고개를 가로저었다.

“너희가 『봉황』을 습격했을 때, 한마디라도 말을 들어 줬나?”

“…….”

『봉황』 괴멸에 『배리어스』가 관여했다는 건 이미 알고 있는 모양이었다.

“유감이야, 아멜리.”

클라우스는 머리끈을 하나 꺼내더니 그 긴 머리를 뒤로 묶었다. 그리고 오른손에 리볼버 권총, 왼손에 단검을 들고 앞으로 크게 한 걸음 내디뎠다.

임전 태세에 들어간 것 같았다.

아직 20m 이상 떨어져 있는데도 그 기백이 전해졌다.

'여기 있는『배리어스』를 전멸시킬 작정이겠죠…….'

그의 의도는 이미 파악했다.

『배리어스』 멤버를 모두 살육하여 복수한다. 몰살이 실현되면 펜드 연방과의 전면전은 피할 수 있다. 그렇기에 산속에 고립시키고 통신기를 파괴한 것이다.

그렇다면 이쪽의 승리 조건도 하나다.

'—한 명이라도 도망치면 돼.'

자신을 포함해 여기 있는 열네 명 중 누군가가 살아남아서『등불』의 흉행을 CIM에 보고하면 된다. 그러면 동포가 원수를 갚아주리라.

누군가 한 명이 살아남기 위해 온 힘을 다하는 거다.

"마스터, 뒷문으로."

아멜리 옆에서 부하가 속삭였다.

"저희가 발을 묶겠습니다. 마스터는 뒷문으로 도망치셔서 숲에 숨긴 차로 가시죠."

"반대예요."

아멜리는 고개를 가로저었다.

"제가 화톳불의 발을 묶겠어요. 저치의 능력은 미지수지만, 소문이 사실이라면 저를 희생해도 5초 벌면 감지덕지일 거예요."

"그건……!"

"빨리 가세요. 적에게 차가 발각되면 끝이에요."

당혹스러워하는 부하를 질타하고서 아멜리는 한 걸음 앞에 섰다.

자신이 모습을 보이지 않으면 클라우스가 수상하게 여길 것이다.

'—설령 내가 죽더라도 이 사실을 보고할 수 있다면.'

함정에 빠졌으니 책임은 자신이 지겠다.

관리 사무소 밖에 남아 있는 부하 일곱 명과 함께 클라우스를 막는 것이다. 관리 사무소 안에 있는 부하 네 명은 뒷문으로 도주를 시도한다. 그게 최선책이다.

클라우스는 아직 움직이지 않았다. 조명이 비추는 위치를 가만히 지키고 있었다.

당장은 공격하지 않을 것 같았다.

'……못 움직이는 건가?'

정적에 휩싸인 가운데, 아멜리는 생각했다.

'……그래. 한 명도 놓칠 수 없으니 전부 볼 수 있는 위치에 있어야 해.'

하지만 이대로 교착 상태를 이어가도 의미가 없다.

'……뭔가를 기다리고 있나?'

그걸 깨달은 순간, 속으로 웃었다.

클라우스가 왜 대담하게 굴었는지 납득이 갔다. 자신들의 관심을 끌려고 그랬을 것이다.

"승기가 보였어요."

"네?"

부하가 의아해했다.

"아마 『등불』은 우리의 차를 못 찾은 거겠죠. 산속으로 도망치면 끝이에요. 그래서 화톳불은 섣불리 나서지 못하는 거예요."

거기까지 알아냈으면 주도권은 이제 이쪽에 있었다.

부하에게 수신호를 보냈다.

—【일제히 도망쳐라. 뿔뿔이 흩어져라.】

열 명이 넘는 인간이 사방팔방으로 달려가면 적이 초인이어도 대처할 수 없다. 부하들은 서로 수신호를 보내 그 메시지를 공유했다. 관리 사무소에 있는 네 명뿐만 아니라 밖에 있는 일곱 명도 순식간에 의도를 파악했다.

이제 타이밍만 가늠하면 된다.

하지만 그때, 아멜리의 시야 끄트머리에 수상한 움직임이 포착됐다.

'기중기차……?'

누군가가 조작하고 있는지, 방치되어 있었던 건설용 기중기가 밤하늘을 향해 천천히 올라가고 있었다. 기중기가 향하는 방향에는 아무것도 없어서 의도를 알 수 없었다.

그 차 옆에는 작은 금발 소녀가 서 있었다.

조명이 닿지 않는 벼랑 가장자리에 서 있는 소녀는 어딘가 섬뜩해 보였다.

—강풍이 불었다.

산 위, 트인 장소에 있는 공사 현장이었다. 이따금 돌풍이 불기도 했다.

하지만 타이밍이 최악이었다.

기중기차가 옆으로 기울었다. —금발 소녀가 있는 방향으로.

"불행……."

소녀는 별 감흥이 없는 표정으로 그 광경을 바라보고 있었다.

마치 알고 있었던 것처럼. 중심이 높은 기중기차가 옆으로 넘어지기도 한다는 걸 알고 있었던 것처럼— 아니, 사랑하는 것처럼 소녀는 미소 짓고 있었다.

"코드 네임 『우인』— 애써 죽일 시간이야."

기울어진 기중기차는 소녀의 바로 옆에 넘어졌고, 그대로 호쾌하게 벼랑 아래로 굴러떨어졌다. 나무가 차체에 깔리며 산 전체를 울리는 듯한 낮은 소리가 진동과 함께 퍼졌다.

아멜리는 그 사고의 의도를 알 수 있었다.

차를 파괴한 것이다. **숲에 숨긴 유일한 탈출 수단을.**

"그럼 도주 수단도 없앴으니."

클라우스가 마침내 행동을 개시했다.

그 모습이 사라졌다. 이어서 아멜리가 클라우스를 포착한 순간, 그는 관리 사무소 밖에 숨어 있던 부하에게 접근하고 있었다. 부하가 아슬아슬하게 발포한 총알을 단검으로 당연하다는 듯 튕기고 그대로 권총 그립으로 부하의 턱을 후려쳤다.

아멜리는 또 한 명 부하를 잃었다.

"유린을 시작하지. 가끔은 사냥당하는 측의 절망을 알도록 해."

클라우스는 짧게 고했다.

◇◇◇

공사 현장 터와 떨어진 곳에서 티아는 전율하고 있었다.

"……정말로 호쾌하네, 에르나."

전방에는 낭떠러지가 있었다. 쓰러진 기중기차가 벼랑을 미끄러져 『배리어스』가 타고 온 차를 찌그러뜨린 상태였다. 자동차 세 대가 하나도 남김없이 대파했다.

티아 옆에서 에르나가 「오늘은 특별했어」 하고 중얼거렸다.

그녀들의 후방에서는 총성이 울리고 있었다. 『등불』과 『배리어스』의 본격적인 전투가 시작됐을 것이다. 전투에 적합하지 않은 소녀들은 일단 떨어져 있었다. 『등불』에서 겉으로 나서서 싸우는 건 지비아, 모니카, 클라우스, 이렇게 세 사람이었다.

티아는 벼랑 위에 서서 산바람을 맞으며 쓰러진 기중기차를 내려다보았다.

에르나가 해설했다.

"바람이 부는 날은 사고가 일어나기 쉬운 날이야. 산이라는 입지와 맞춰 보면, 딱 좋은 위치에 기중기차를 이동시키면 그만이야."

"어머, 에르나가 운전한 거야? 장하네."

"엄청 열심히 했어. 발이 아슬아슬하게 닿았어."

에르나는 양손을 허리에 얹고 자랑스러워하는 표정을 지었다.

에르나도 이런 표정을 짓게 됐구나. 의외라고 느끼며 티아가 물었다.

"여기에 『배리어스』의 차가 있는 건 어떻게 알았어?"

“발신기를 붙였어.”

“어? 어느새?”

생각지 못한 대답이었다.

『배리어스』는 늘 경계하며 차를 지켰다. 선불리 다가가면 눈 깜짝할 사이에 구속당할 것이다.

“―차에 치였을 때.”

에르나가 대답했다.

“에르나는 일부러 『배리어스』가 운전하는 차에 치여서 발신기를 붙였어.”

“……!”

태연하게 대답하는 에르나를 보고 티아는 등골이 오싹해졌다.

롱청에서 사기술을 익힌 이후로 에르나의 기술은 한층 과격해져 있었다. 위태롭지만 믿음직한 공작원으로 성장했다. 주저 없이 사고에 뛰어들어 비극을 자작했다.

『사고』×『자작극』― 참화 창조.

에르나는 자신의 재능을 남김없이 발휘하고 있었다.

덧붙여 사고의 충격은 아네트가 만든 방어구로 완화해서 상처는 머리에 난 혹뿐이라고 했다.

“그리고 아네트가 만든 도청기가 내장된 만년필도 부착했어. 이건 지비아 언니가 회수해서 적의 손에 잘 넘겼어.”

“정말 대활약이잖아.”

“하지만 티아 언니가 더 대단해.”

에르나가 즐겁게 주먹을 쥐었다.

“인질로 잡힌 상황에서 『배리어스』의 정보를 모조리 모아 왔어.”

“응, 고마워.”

칭찬해 준 에르나의 머리를 쓰다듬고 티아는 웃었다.

『배리어스』에 인질로 잡혀 있으면서 티아는 여성 스파이를 한 명 농락했다. 그들의 총원은 스물여섯 명— 이 숫자를 몰랐다면 이번 작전은 무리였다.

“하지만 나 혼자만의 성과는 아니야. 일부러 인질로 잡혀서 정보를 수집하다니, 이전에는 좀처럼 할 수 없었어.”

“응.”

“팔마 씨가 가르쳐 주지 않았다면 나는 아무것도 못 했을 거야.”

티아는 오른손으로 얼굴을 덮었다.

그 떠들썩했던 나날에 큰 의미가 있었다는 걸 뒤늦게 눈치챘다. 어째서 『봉황』이 매일 아지랑이 팰리스에 찾아왔는지. 깨달은 것은 작별이 다가왔을 때였다.

『봉황』은 자신들의 기술을 『등불』의 소녀들에게 전수했다.

물론 클라우스와 훈련하고 싶다는 동기도 있었을 것이다. 하지만 그뿐만 아니라, 그들은 적극적으로 자신의 특기를 내보여서 스파이의 기술을 알려 줬다.

에르나도 「……크노 씨도 가르쳐 줬어」 하고 슬프게 고개를 숙였다.

『우금』 팔마는 티아와 그레테에게 기술을 전수했다.

—대담하게 적에게 뛰어들어 자신의 기술을 완전히 발휘하는 방법을.

『개풍』 크노는 에르나와 릴리에게 기술을 전수했다.

—모습을 감춰 상대가 기척조차 눈치채지 못하게 하고서 파괴하는 방법을.

교류를 나누면서 그들은 낙오자를 이끌었다.

"『배리어스』의 원래 총원은 마흔아홉 명이었어. 부관도 다섯 명 있었다고 해."

티아가 중얼거렸다.

"『봉황』을 습격하면서 부관 세 명을 포함해 스물세 명이 당했어. 빈드 씨, 빅스 씨, 팔마 씨가 절반이나 수를 줄여 줬어."

"역시 대단해."

"안 그랬다면 우리는 더 고전했을 거야."

물론 남은 스물여섯 명도 충분히 위협적이었다.

단 한 명도 놓쳐서는 안 된다는 제약이 있기에 클라우스 혼자서는 전부 대처할 수 없었다. 실패하면 펜드 연방과 딘 공화국의 스파이가 전면전을 벌일 위험을 내포하고 있었다.

게다가 상대는 스파이 구속에 특화된 방첩 전문 부대 『배리어스』였다.

지금까지 소녀들이 이기지 못했던 일류 스파이가 적이었다.

"해내자."

티아는 품에서 권총을 꺼냈다.

"이번만큼은 상대가 누구든 질 수 없어. 우리는 이길 거야. 더는 낙오자가 아니야. 최강의 엘리트들이 함께하는걸."

"알고 있어."

에르나도 크게 숨을 들이마시고 티아 옆에 섰다.

『봉황』은 목숨을 걸고 펜드 연방에서 싸웠다. 갑작스러운 습격에 대처해 란을 대피시키고 살렸다. 지금 자신들이 움직일 수 있는 건 그들이 남긴 정보 덕분이었다.

"『등불』과 『봉황』이 힘을 합치면 어떤 강적이든 이길 수 있어."

흘러넘친 눈물을 에르나는 닦아 냈다.

◇◇◇

클라우스가 움직이기 시작했다.

다음 표적을 처리하려는 것이리라. 이대로 가면 전멸도 시간문제다.

―팡! 하고 큰 소리가 났다.

총성은 아니었다. 아멜리가 양손을 마주친 소리였다. 동요하던 동료들이 정신을 차리고 아멜리를 주목했다.

아멜리는 숨을 들이마셔서 다시 기합을 넣었다.

도주 수단이 없어졌으니 차선책을 준비해야 했다.

'저쪽은 상응하는 준비를 해 왔을 터…… 어두운 숲으로 무작정 도망치는 건 위험성이 너무 커. 하지만 이대로 화톳불과 싸우는 건

자살 행위겠지.'

『화톳불』 클라우스. 자세한 정보는 불명이지만, 전투 능력은 무시무시하게 높다고 들었다.

그렇다면 답은 하나다.

'—요격한다. 최대한 안 싸우는 방법으로.'

아멜리는 입술을 깨물고 주머니에서 무기를 꺼냈다.

아무것도 모르는 사람이 본다면 비웃을 것이다. 스파이 세계에 몸담은 사람이어도 당혹스러운 표정을 지을 것이다. 그 무기에 살상력은 없으니까.

지휘봉이었다.

실제로 특별한 기능은 없었다. 단순한 막대기였다.

하지만 『조종자』라는 이명을 가진 아멜리가 지휘봉을 휘두르면 온갖 적을 물리치는 힘을 낳았다.

아멜리는 지휘봉을 날카롭게 휘둘렀다.

공기를 가르는 소리는 훈련된 부하의 의식을 각성시켰다.

"도주는 포기하죠."

그녀는 고했다.

"다만 화톳불과 직접 싸울 필요는 없어요. 소녀를 인질로 잡겠어요."

클라우스는 몇몇 부하를 데려왔다. 그는 동료에 대한 의존심이 강하다고 했다. 인질은 효과적인 수단일 터다.

"—『기계 장치 인형』【목록 5번】."

아멜리는 지휘봉을 옆으로 휘저었다.

“『기도 인형』【목록 23번】, 『성교 인형』【목록 34번】, 『타천 인형』【목록 183번】, 『분열 인형』【목록 217번】, 『모방 인형』【목록 63번】, 『땅거미 인형』【목록 2번】—.”

모든 부하에게 지시를 내렸다.

굳이 말하지 않아도 지휘봉의 움직임으로 명령은 내릴 수 있지만, 이것 또한 아멜리가 미덕으로 여기는 형식이었다.

『조종자』의 진면목— 그건 바로 최대 50명을 자신의 손발처럼 조종하는 지휘 능력이다!

“우리에게도 오기가 있어요.”

아멜리는 지휘봉으로 클라우스를 가리켰다.

“이 나라를 지켜 온 방첩 부대의 긍지가!”

부하 열 명이 움직이기 시작했다.

클라우스에게 가하는 위협사격과 인질로 적합한 소녀 수색이 동시에 진행되었다. 예전에 『보라개미』가 했던 것과 같은 공포에 의한 획일적인 지배가 아니었다. 아멜리라는 카리스마에 심취한 부하들은 위축되지 않고 높은 충성심을 가지고서 실력을 120% 발휘했다.

아멜리는 2층 창문으로 뛰쳐나갔다.

지휘봉으로 부하를 조종했다. 전하는 것은 미리 정해 둔 목록이었다.

예를 들어 【목록 23번】— 타깃의 오른발을 저격. 7m 거리까지 접근한 후 후방의 동료와 교대하여 왼쪽으로 선회. 도주로를 막고 엄호 사격을 가한다.

자세하게 정해진 목록의 수는 200개를 넘었다. 그걸 전부 부하에게 주입하고, 필요에 따라 구분해서 사용했다. 전장 전체를 파악하는 청력, 최선책을 산출해 내는 초인적 지능, 무엇보다 절대적인 신뢰를 받는 아멜리의 매력이 세세한 연계를 실현시켰다.

특별히 단련된 부하 다섯 명이 아멜리를 에워싸듯 움직였다.

여러 스파이를 잡은 필승 패턴이었지만—.

"뭔지 알아."

그 대형을 부수듯 달려오는 자가 있었다.

건물 뒤편에서 튀어나온 소녀가 맹렬한 속도로 접근했다. 지비아였다.

총으로 요격하려고 한 순간, 하늘에서 매와 비둘기가 내려와 타이밍을 놓쳤다.

아멜리가 「—【목록 25번】」 하고 냉정하게 지시했다. 아멜리와 다섯 부하는 권총에서 단검으로 전환해 지비아를 요격하려고 했다.

"코드 네임 『백귀』— 가로채 터는 시간을 가져 주겠어."

지비아의 모습이 흐릿해졌다.

"——?!"

아멜리가 숨을 삼켰다.

살기와 적의뿐만 아니라— 존재가 통째로 사라졌다. 말도 안 되는 일지만 그런 감각이 들었다. 아멜리의 지각이 재차 지비아의 모습을 인식했을 때, 몸을 돌려 공격을 피하는 게 고작이었다. 조금이라도 긴장을 늦췄다면 칼에 찔려 죽었을 것이다.

다행히 다른 부하도 모두 공격을 피했다.

지비아는 아멜리와 부하들을 공격하지 않고 스쳐 지나갔다.

그 등을 쏘기 위해 뒤돌아 다시 총을 들려고 했지만— 아무것도 잡히지 않았다.

'도둑맞았어—?!'

숨을 삼켰다.

"당신도 짊어진 게 있겠지."

떨어진 곳에 멈춰 선 지비아의 양손에 권총 여섯 개가 들려 있었다. 그녀는 양손으로 솜씨 좋게 권총을 분해해 나갔다. 총의 부품이 땅에 뿔뿔이 흩어졌다.

"하지만 우리도 양보할 수 없는 게 있어."

권총을 잃으면서 아멜리의 통솔이 흐트러졌다.

후방에서 또 클라우스에 의해 파괴되는 부하 두 명의 비명이 들렸다.

◆◆◆

—밀월 29일째.

결국 빅스의 지비아 습격은 마지막까지 이어졌다.

묘하게 S 기질이 있는 잘생긴 남자는 이날도 「미팅하러 갈까요♪」

하고 다가왔다. 지비아는 힘껏 도주를 시도했지만 그의 파워와 사기술에 압도당해 붙잡히고 말았다.

"아직 허술하네요♪."

작별이 다가오는 밤에도 지비아는 발목을 잡혀 거꾸로 매달렸다.

"그럼 남장 미팅행 결정이군요♪."

"싫~다~고오오오오오오오오오오오오오!"

한번 잡히면 그의 괴력으로부터 도망칠 방법이 없었다. 거꾸로 매달려서 연행될 뿐이다. 원래부터 남자 같은 옷을 자주 입기도 해서 머리 모양을 조금 손보면 지비아는 소년 같은 모습이 되었다.

지비아는 거꾸로 매달린 채 아지랑이 팰리스의 복도를 질질 끌려갔다.

'근데 10대 소녀가 남자한테 납치당하는 구도는 문제 아니야?'

여러모로 태클 걸 부분은 많지만 포기할 수밖에 없었다. 전부 빅스로부터 도망치지 못하는 자신의 허물이었다.

자신보다 수준 높은 사람을 타파하는 속임수— 사기술은 아직 습득하지 못했다.

"이봐, 내 사기술은 뭐가 좋을 것 같아?"

물어보자 빅스는 「음?」 하고 시선을 보냈다.

자신의 특기에 맞는 속임수(스타일). 지비아는 그걸 결국 찾지 못했다. 나름대로 생각해서 때때로 빅스에게 시도했지만 실패로 끝났다.

"나는 머리가 안 좋아서 적을 속이는 건 잘 못 해. 어떡해야 해?"

부끄러움을 무릅쓰고 조언을 구했다.

빅스는「너는 정말로 바보네요♪」하고 웃음을 터뜨렸다.

"시끄러워! 자각은 있다고!"

"그게 아니라요♪ 제가 처음부터 힌트를 줬는데♪ 눈치채지 못했군요♪ 상처받았어요♪."

"엉……?"

"시선을 훔쳐 눈을 속이는 거예요— 훔치는 건 특기잖아요?"

배에 힘을 줘서 얼굴을 들자 어이없어하며 어깨를 으쓱이는 빅스가 보였다.

그의 사기술은『은닉』. 두꺼운 근육에 무기나 도구를 끼워서 숨기는 기술이었다. 직전까지 상대가 공격 수단을 모르게 하여 늘 의표를 찔렀고, 첩보 활동에도 폭넓게 응용할 수 있었다.

눈을 속인다고 빅스는 표현했다. 사기술을 한번 보여 줬을 때도 말했던가.

그렇구나, 하고 납득했다.

머리를 써서 상대를 현혹해야 속임수인 건 아니었다. 상대의 무기를 훔치는 것도 속임수의 수단 중 하나였다.

빅스는「이걸 보니 사기술을 습득하려면 한참 걸리겠네요♪」하고 재미있다는 듯 웃었다.

"지금은 다른 수단을 시도하는 수밖에 없겠어요♪."

"다른 수단?"

지비아가 고개를 갸웃했다.

그런 편법이 있다면 당장 듣고 싶었다.

"다른 사람이 속이면 돼요♪."

빅스는 태연하게 말했다.

"어차피 바보니까 너보다 머리 좋은 사람한테 맡겨 버리면 돼요♪."

"어? 아니, 그건 그것대로 좀……."

"괜찮아요♪ 그건 너의 강점이니까요♪."

빅스의 목소리에 그늘이 졌다.

"저는, 못 해요. 겁이 너무 많아요. 쓸데없는 자존심도 방해하고요. ……그래서 빈드 군은 저와 연계하지 않아요. 롱청에서 당신한테 한 말은 사실이에요. 낙오자니 엘리트니 하는 좁은 척도에 머물러 있는 너희는 진짜 우스꽝스러워."

"……?"

갑자기 감정을 내뱉어서 곤혹스러웠다.

빅스가 자기 속마음을 이야기하는 건 처음이었다. 그도 밝힐 생각은 없었는지 얼버무리듯 수줍게 웃었다.

하지만 그 부자연스러운 웃음에서 오히려 그의 콤플렉스가 보였다.

롱청에서 지비아와 격돌했을 때, 빅스는 이렇게 말하지 않았던가.

—『빈드 군보다 성과를 올리고 싶어서요♪.』

양성 학교 전교생 중에서 1등을 차지하고 『봉황』의 보스 자리까지 오른 빈드와 2등에 만족한 빅스 사이에는 확집이 있을 것이다.

"당신한테는 전부 있잖아요♪."

빅스는 눈부시다는 듯 눈을 찌푸렸다.

"즉시 반응할 수 있는 신체 능력, 타인과 신뢰 관계를 구축할 수 있는 멘탈, 판단을 맡길 수 있는 무모한 용기, 그리고 당신을 신뢰하는 동료가♪."

"……."

"연계— 그것도 당신의 무기 중 하나잖아요?"

결국 지비아는 빅스의 심정을 전부 이해하지는 못했다.

하지만 그가 힘으로 가르친 기술은 몸에 새겨졌다.

향상심이 강한 스파이였다. 헤실헤실 웃으며 얼버무렸지만 실은 정열이 넘쳤다. 여자와 노는 것도 훈련의 일환이라고 했다. 여성을 상대하는 교섭술은 그가 빈드에게 이길 수 있는 강점이었을 것이다.

본심을 웃음으로 얼버무리는, 파워와 기교를 겸비한 무투파 스파이.

—『상파』 빅스.

◆◆◆

아멜리는 눈앞의 광경에 아연실색했다.

부서져 갔다.

부서져 갔다.

부서져 갔다.

『화톳불』 클라우스는 막을 수 없었다. 부하에게 최대한 시간을 끌라고 지시했지만, 비웃듯이 클라우스는 단검으로 해치워 나갔다. 권총을 가진 부하가 동시에 발포했으나 그는 손쉽게 총알을 튕겼다.

하지만 그건 그래도 예상한 일이었다.

클라우스 혼자라면 승기는 있었다.

그러나 지금까지 함께 나라를 지킨 부하들이 나이 어린 소녀들에게 유린당하고 있었다. 총을 잃은 부하는 단검을 들거나 돌멩이를 던져서 견제할 수밖에 없었다. 하지만 그런 저항으로 권총을 가진 훈련받은 스파이를 당해 낼 수 있을 리도 없었다.

몸을 숨기기 위해 건물 뒤편으로 도망치려 했지만 노린 것처럼 함정이 설치되어 있었다. 발을 베여서 도주가 한층 어려워졌다.

하늘에서 커다란 매가 선회하고 있었다. 마치 숨어 있는 아멜리와 부하들을 감시하듯 마크했다. 총으로 노려도 매의 검은 체구는 금세 밤의 어둠 속으로 사라져 보이지 않게 되었다.

모 아니면 도에 걸고 숲으로 달려가니—.

"느려."

새로운 소녀의 목소리가 들렸고 총알이 정확하게 날아왔다.

부하 한 명이 또 발에 총을 맞아 땅에 엎어졌다.

건물 옥상에 일순 청은발 소녀가 보였다.

소녀가 숨은 곳 주변에서 뭔가가 반사되었다. 거울이었다. 거울이 다섯 개 넘게 보였다. 소녀는 그 거울로 전방위를 감시하고 있는 걸지도 모른다.

부하를 한 명씩 잃는 현실을 아멜리는 믿을 수 없었다.

'이상해……. 저 리틀 레이디에게는 미숙함이 남아 있었어…….'

지비아를 처음 봤을 때의 인상은 잊지 않았다.

물론 그때부터 그녀는 연기하고 있었을 것이다. 하지만 지비아의 언동 하나하나에서 미처 숨기지 못한 경험 부족이 느껴졌었다.

—스파이로서 미덥지 못한 소녀들.

때때로 열등감도 내비쳤다. 『봉황』에 대한 콤플렉스를. 지비아뿐만 아니라 동료 전체가 그렇다고 그녀는 말했었다.

역전의 스파이인 아멜리의 직감은 틀리지 않는다.

'……급속히, 성장하고 있어……!'

그것이 아멜리의 추측이 틀린 이유였다.

급격히 이룬 성장을 소녀들의 자기 평가가 따라잡지 못하고 있었다.

심지어 그 변모는—.

'뭔가 터무니없는 이형의 존재가 되려고 해……!'

아멜리가 상대했던 일류 스파이가 준동하는 무대에 소녀들이 오르려 하고 있었다.

—여기서 없애야 한다.

각오를 다졌다.

—지금 죽이지 않으면 각각의 소녀가 언젠가 자국의 위협이 될 수도 있다.

그렇게 판단했을 때, 후방에서 여러 사람의 목소리가 들렸다.

"마스터!"

돌아보았다.

대형차 두 대가 공사 현장에 들어왔다. 청은발 소녀가 타이어를 쏴서 두 대 다 크게 회전했지만 아멜리가 있는 곳에 도착했다. 아멜리가 『연화 인형』과 함께 보냈던 부하 열 명이 타고 있었다.

"당신들이 어째서 여기에?!"

"『연화 인형』 님이 당장 달려가라고 했습니다."

훌륭한 판단이었다.

위험을 피하려고 전력을 분산시켰지만, 이 타이밍에 조력자는 든든했다. 더더욱 훌륭한 건 『연화 인형』 자신은 같이 오지 않은 점이었다. 최악에 그녀 혼자라도 살아남는다면 『등불』의 흉행을 본부에 전할 수 있다.

아직 역전할 가능성은 있다.

아멜리는 부하에게서 자동 권총을 받고서 「―【목록 92번】」 하고 명했다. 카운터를 의미하는 『배리어스』의 대형이었다.

'급속히 힘을 얻은 자는 그 힘에 빠지지……!'

상황을 조용히 분석했다.

『등불』은 애가 탈 것이다. 조금만 더 하면 전멸이었는데 『배리어스』에게 조력자가 나타났다. 소녀들은 돌격을 그만둘 수 없다. 이 우세를 놓칠 수 없다며 달려들 터다.

그 순간, 함정에 빠뜨리겠다. 경험의 차이로 상황을 타파하는 것이다.

―한순간의 틈을 노려라.

아니나 다를까, 한 소녀가 건물 뒤에서 뛰쳐나왔다.

아멜리는 외쳤다.

"저 무모한 리틀 레이디를 잡아요!"

대형차에 숨은 부하가 지비아를 향해 일제히 사격했다.

"윽!"

지비아는 황급히 몸을 돌려 근처에 있던 로드 롤러에 숨었다.

당연히 이 기회를 놓칠 순 없었다.

단 한 명이라도 구속하면 클라우스와 인질 교섭을 할 수 있다.

궁지에서 벗어날 최후의 수단이었다.

「—【목록 45번】」 하고 아멜리는 지휘봉을 휘둘렀다.

의미는 결사 돌격. 여덟 명 이상의 부하가 대열을 짜고 로드 롤러에 숨은 지비아를 잡으러 갔다. 도중에 몇 방을 맞든 그 공격은 멈추지 않는다.

포위당하는 지비아는 우두커니 서 있었다. 저항하려 들지도 않았다.

지비아 주위에 클라우스는 보이지 않았다.

'그래, 화톳불의 약점은— 동료와 연계하지 못한다는 거야!'

클라우스의 결점을 아멜리는 이미 간파하고 있었다.

'당신이 진심으로 움직이면 다른 사람은 아무도 쫓아갈 수 없어. 춤조차 추지 못할 정도로!'

그 허점을 노려 대형에서 벗어난 동료를 잡으면 된다.

계산대로 이루어진 현실에 아멜리는 흡족하게 웃었다.

"전~혀 모르네."

목소리가 들렸다.

어? 하고 아멜리는 눈을 부릅떴다.

로드 롤러 너머에서 지비아가 조롱하듯 아멜리를 보고 있었다.

"당신 말이야, 정말로 나랑 **그 녀석**의 상성이 최악인 줄 아나 봐?"

◇◇◇

아멜리의 분석력은 진실에 일부 다다랐다.

실제로 지금까지 『등불』의 소녀들과 클라우스가 함께 싸운 적은 없었다. 같은 미션에 임해도 대개 따로 행동했다. 소녀들에게는 보좌하는 임무를 주고 가장 위험한 일은 클라우스가 혼자 뛰어들었다.

클라우스가 부하와 연계하지 못하는 건 진실이었다.

하지만 『등불』을 외부에서 냉정히 관찰한 빅스는 한 소녀를 주목했다.

―클라우스와 유일하게 연계할 가능성을 간직한 소녀를.

다른 소녀는 불가능했다.

신체 능력이 높은 모니카는 타인에게 맞추는 멘탈이 없었다. 반대로 클라우스와의 대화 능력이 높은 그레테는 그의 움직임을 쫓지 못했다.

언젠가― 강대한 적을 만나 클라우스 혼자서는 수단이 부족할 때.

그런 상황에서야말로 지비아는 빛난다.

〈백로 저택〉에서 왈츠를 추기 직전에 두 사람은 확인했다. 서로의 허리에 손을 얹고 마주 보았다. 아멜리의 잔소리 같은 충고를 들으며 말을 나눴다.

—『어떻게 생각해? 우리의 콤비네이션을 걱정하는 것 같아.』

—『그런 것 같군.』

—『농담이지?』

—『물론.』

그 순간, 클라우스와 지비아의 연계는 완성되었다.

◇◇◇

아멜리가 제지하기엔 늦었다.

그 광경은 슬로 모션으로 보였다.

부하 여덟 명이 지비아를 포위했을 때, 그녀의 몸이 둥실 떠올랐다. 그 발밑에서 클라우스가 나타났다. 로드 롤러에 숨어 있었던 모양이다.

"그런데—."

지비아를 끌어당기면서 클라우스는 말했다.

"—이 놀이에 언제까지 장단을 맞춰 주면 되지?"

두 사람은 어깨를 끌어안으며 크게 한 번 회전했다.

직후, 아멜리의 부하가 뒤로 날아갔다.

클라우스에게 리드받아 턴한 지비아의 발차기가 부하의 권총을 쳤다. 지비아의 허리에 팔을 감은 클라우스는 그대로 발포하여 부하의 무릎을 정확하게 저격했다.

마치 왈츠를 추듯이 두 사람의 몸이 교대하며 공격을 가했다.

그것은 발포와 돌려차기의 무도(舞蹈)였다.

클라우스의 팔에 이끌려 지비아는 공중으로 크게 뛰었다. 적의 총탄을 피하고 그대로 가하는 회전 날아차기는 매료될 만큼 우아했다.

'그 서툰 춤은 연기였나……?!'

속았다는 걸 깨달았지만 이미 늦었다.

부하가 차례차례 쓰러지는 광경을 아멜리는 바라볼 수밖에 없었다.

지휘로 어떻게 할 수 있는 상황이 아니었다.

부하는 전원 클라우스와 지비아의 공격 범위 내에 있었다.

회전하는 클라우스가 팔을 뻗을 때마다 부하 한 명이 그 주먹에 맞아 쓰러졌다. 클라우스에게 인도받듯 춤추는 지비아는 클라우스의 사각지대에서 도망치는 자의 발에 총알을 박았다.

아름다웠다.

무심코 넋을 잃고 바라볼 만큼.

도망친다는 선택지는 없었다. 이미 포위망은 완성되어 있었다. 여러 총구가 아멜리를 겨누고 있는 게 느껴졌다.

이윽고 마지막 부하가 지비아의 주먹에 맞아 쓰러졌다.

아멜리는 모든 부하를 잃었다.

"……이걸로 끝이군."

클라우스의 중얼거림이 들렸다.

실제로 공사 현장에 남은 사람은 아멜리뿐이었다.

"………."

현실을 받아들이는 데 긴 시간이 필요했다.

아멜리의 긍지가 패배를 인정하지 못했다.

'우리는 틀리지 않아……. 그럴 텐데…….'

10년 넘게 CIM에서 일했다. 채용됐을 때는『레티아스』라는 톱 집단의 말단으로서 첩보 활동에 힘썼고, 재능을 인정받아 국내 방첩에 전념하게 되었다.

최고 기관『하이드』의 인정을 받고 직속 방첩 부대인『배리어스』의 보스가 되었다.

전부 고향을 지키기 위해서였다.

펜드 연방은 세계 대전 이후 앞이 보이지 않는 불경기에 빠진 상태였다.

아멜리에게는 사랑하는 사람이 있었다. 부모가 있었다. 형제가 있었다. 친구가 있었다. 마음을 전하지 못한 채 연락을 끊었지만, 사모했던 사람도 있었다. 무엇보다 그 모든 국민의 마음을 지탱하는 왕이 있었다.

정의를 위해서 아멜리는 적 스파이에게 승리해 왔다.

노린 사냥감을 놓친 적은 한 번도 없었다.

—하지만 지금, 자신은 틀림없이 패배를 맛보고 있었다.

생각해 보면 다린 황태자를 지키지 못했을 때부터 운명은 정해져 있었다.

'……나는 여기서 죽겠지.'

공사 현장 중앙에 선 아멜리는 조용히 패배를 받아들였다.

전혀 각오하지 못했던 일은 아니었다. 다만 그게 오늘이 될 줄은 생각도 못 했다.

다행히 작은 희망이 있었다.

'……『연화 인형』은 따로 행동하게 해서 다행이야. 『연화 인형』이 상층부에 보고해 줄 거야.'

모습을 감춘 『자괴 인형』은 이미 당했을 것이다. 하지만 『배리어스』에는 부관이 한 명 더 남아 있다. 다린 황태자가 죽고 자주성을 발휘하기 시작한 『연화 인형』이.

총명한 그녀라면 돌아오지 않는 아멜리의 말로를 헤아려 줄 터다.

CIM의 동포에게 전해서 딘 공화국을 적대국으로 간주할 것이다.

자신들의 죽음은 물거품이 되지 않는다.

그 사실에 안도하며 아멜리는 눈을 감았다.

단 한 명이어도 좋다. 『연화 인형』만 살아남아 준다면—.

"아까도 말했지만—."

클라우스의 목소리가 들렸다.

"—너희는 세상에서 말소될 거야. 한 명도 남김없이."

오한이 들었다.

마치 아멜리의 마음을 꿰뚫어 본 것 같은 말은 최악의 미래를 상기시키기 충분했다. 세상이 무너지는 느낌이었다.

어느새 아멜리의 정면에 새로운 인물이 나타나 있었다.

숨을 헉 삼키며 눈을 크게 떴다.

그 인물은—.

◇◇◇

—시간은 거슬러 올라가 일곱 시간 전.

『등불』의 리더, 사랑스럽게 생긴 은발 소녀가 〈백로 저택〉에 숨어 있었다.

"안녕하세요. 진짜 진심으로 잠복해 있는 존재감 희박한 스파이, 릴리에요!"

그녀는 〈백로 저택〉의 **어떤 장소**에 숨어서 홀을 관찰하고 있었다.

파티가 곧 시작되려고 하는 무렵이었다. 그녀는 『배리어스』가 이 저택을 경비하기 전에 숨어들어서 누구에게도 들키지 않고 잠복해 있었다.

접시째 훔쳐 온 요리를 먹으며 그녀는 기척을 지웠다.

사용인들을 떠들썩하게 한 「요리 도둑」은 릴리였다.

"크노 씨에게 배운 것도 일리 있어요. 마지막 순간까지 잠복했다가 결정적 일격! 꽤 멋져요. 흐흥, 한층 더 스파이다워졌어요."

릴리는 신나게 나불거렸다.

그때 파티가 시작됐다. 주최자인 데이비드의 인사가 끝난 후, 오케스트라의 선율과 함께 왈츠가 시작됐다.

지비아와 클라우스가 홀에서 천천히 회전하는 것이 보였다. 처음에는 호흡이 딱딱 맞았는데 갑자기 요란하게 넘어졌다. 곧장 일어났지만 점차 리듬이 어긋나며 스텝이 꼬였다.

클라우스와 지비아는 완벽하게 **서툰 춤을 연기했다.**

릴리는 만족스럽게 고개를 끄덕였다.

"응응, 훌륭한 연계예요. 역시 선생님이에요. 지비아에게 잘 맞춰 주고 있네요. 어쩔 수 없죠. 릴리가 인정해 주겠어요."

일단 전에 부부였던가요, 하고 중얼거렸다. 예전에 그런 신부 소동이 있었던 것 같다.

릴리는 가만히 준비했다.

호통쳐 대는 콤비는 서로의 발목을 잡으며 홀을 이동했다. 그들이 향하는 곳에는 춤추면서 란을 수색하는 『자괴 인형』과 『연화 인형』 콤비가 있었다.

정면으로 충돌한 네 사람이 구역을 벗어나 요란하게 넘어졌다.

릴리가 숨어 있는 식탁 밑으로 굴러 들어왔다.

"하지만 지비아와의 연계라면— 저도 지지 않거든요!"

식탁보로 몸을 숨긴 지비아가 『연화 인형』의 몸을 밀었다.

—맡길게, 하고 지비아가 눈빛으로 말을 전했다.
—맡겨 주시라, 하고 릴리가 웃었다.
릴리의 오른손에는 독침이 들려 있었다.

"코드 네임 『화원』— 미쳐 만발할 시간이에요."

클라우스가 『자괴 인형』과 부딪쳐 작은 몸을 날렸다. 그의 시야를 가리듯 바닥에 넘어졌다.

그 한순간, 릴리는 군더더기 없이 『연화 인형』의 목에 독침을 박았다.

이리하여 책략은 완성됐다.

펜드 연방 각지에 준비한 『등불』 소녀들의 책략이.

모니카의 도촬로 『봉황』을 습격한 인물이 『배리어스』임을 특정했다. 인질로 잡힌 티아가 내부 정보를 얻었다. 아네트는 만년필로 위장한 도청기를 만들었다. 에르나는 스스로 교통사고를 일으켜 차를 멈추고 만년필을 부착했다. 지비아가 순식간에 만년필을 회수하고 『자괴 인형』에게 빼겨 『연화 인형』에게 넘겼다. 목소리를 도청한 후 〈백로 저택〉에서 릴리가 『연화 인형』을 기절시켰다. 사라가 조교한 동물로 수상한 통신을 타전했다.

지비아를 중심으로 모든 책략이 돌아갔다.

—그리고 이번 일의 키맨이 된 소녀는 도청한 목소리를 흉내 내어 눈 깜짝할 사이에 『배리어스』를 집어삼켰다.

◇◇◇

—수녀복을 입은 여성이 서 있었다.

아멜리를 내려다보듯 정면에 서서 온화하게 웃고 있었다. 옷에는 먼지 하나 묻어 있지 않아 새까만 천이 섬뜩하게 느껴졌다. 뭐라고 말하지도 않고 마치 장식품처럼 계속 서 있었다.

산속 공사 현장 터에 있을 리 없는 『배리어스』의 부관— 『연화 인형』이 있었다.

"『연화 인형』……?"

아멜리는 눈을 의심했다.

따로 행동하라고 명했던 부관이 왜 여기에 있는가.

"당장 도망치세요! 당신만이라도 벗어나요, 당장!"

비명을 지르듯 외쳤다.

왜 『연화 인형』이 이런 폭거를 저질렀는지 이해할 수 없었다. 스파이로서 올바른 판단은 도주뿐이었다. 그녀 혼자서 화톳불을 타도하고 아멜리를 구하는 건 불가능했다.

『연화 인형』은 계속 미소 짓고 있었다.

"……!"

그 연민하는 듯한 표정을 보고 아멜리는 알아차렸다.

대체 이 습격을 누가 통제했는가.

—클라우스에게 설치한 발신기, 의문스러운 통신을 보고한 자.

—일부러 따로 행동시켰던 부하를 이곳으로 유도한 자.

힌트는 있었다.

홍차를 끓였을 때, 위화감을 느꼈을 텐데.

—『아주 향이 좋네요. 실력이 늘었군요.』

평소 끓이던 홍차와는 맛이 다르다고 느꼈을 텐데.

"아멜리 씨, 고맙습니다……."

『연화 인형』의 모습을 한 소녀는 『연화 인형』과 다른 목소리로 말했다.

"……당신 덕분에 보스와 왈츠를 출 수 있었습니다."

그녀는 자신의 얼굴을 덮은 마스크를 벗었다.

아멜리는 몰랐다.

적지에 잠입할 때야말로 맹위를 떨치는 팔마가 기술을 전수한 또 한 사람. 클라우스를 향한 넘치는 사랑을 숨기고 적지에서 대담하게 행동했던 소녀를.

—『널 믿을게.』

사모하는 상대의 말을 가슴에 품고서 그레테는 적이 되어 사랑한다.

『변장』×『사련(邪戀)』— 가면 애상(愛想).

“코드 네임 『애랑』— 웃어 탄식할 시간을 가지죠.”

붉은 머리 소녀가 정숙한 목소리로 말했다.

아멜리는 착각을 깨달았다.

가장 경계해야 할 사람은 클라우스도 아니고 지비아도 아니었다. 『연화 인형』 행세를 하며 뒤에서 모든 것을 조종한 이 소녀야말로 『등불』의 비장의 패였다.

힘이 빠져서 아멜리는 땅에 무릎을 꿇었다.

이 순간— 『배리어스』의 전멸은 확정됐다.

아무것도 간파하지 못하고, 전혀 맞서지 못하고, 『등불』에 유린당했다.

하지만 도저히 납득할 수 없는 것이 있었다.

—『연화 인형』은 대체 언제 뒤바뀌었는가?

『연화 인형』 곁에는 『자괴 인형』이 붙어 있었다. 아니면 아멜리나 다른 사람이 곁에 있었다. 바꿔치기라는 대담한 책략을 쓸 틈은 주지 않았다.

붉은 머리 소녀는 아멜리 앞을 지나 지비아에게 다가갔다.

지비아는 경쾌하게 손을 들어 인사했다.

“수고했어, 그레테. 역시 대단하네.”

“……지비아 씨 덕분입니다. 보스와 춤추며 『연화 인형』을 식탁 아래로 몰아넣는 일은 지비아 씨만 할 수 있어요.”

“고마워. 하지만 역시 춤은 나랑 안 맞아.”

"……보스와의 댄스, 아주 우아했어요."

"너한테는 못 당하지. 아주 즐겁게 춤추던데."

"네. 잔뜩 밀착할 수 있었습니다."

"얼굴 빨갰어."

"……후후. 파트너를 교대해 준 지비아 씨에게도 한없이 감사해요."

두 사람의 대화를 듣고 아멜리는 진실을 깨달았다.

보통은 도저히 상상할 수 없는 타이밍에 뒤바뀐 거다.

—〈백로 저택〉, 지비아와 클라우스가 춤추다가 『연화 인형』을 끌어들여 넘어진 순간에.

여러 사람이 보는 가운데 당당히 이루어진 것이다.

『연화 인형』을 식탁보 밑으로 밀어 넣어 잠재우고 — 독을 쓰는 자가 숨어 있었으리라 — 그레테라고 불린 소녀가 『연화 인형』과 뒤바뀌었다. 직후, 지비아가 파트너 변경을 소망하면서 클라우스가 그레테를 댄스홀로 데려가 『자괴 인형』이 접근하지 못하게 했다.

그들은 프로다. 주목하는 아마추어를 속이는 것 정도는 쉬운 일이었다.

게다가 그 한순간만큼은 『배리어스』도 클라우스와 지비아를 보고 있지 않았다. 자신도 말하지 않았던가.

—『모든 관중이 당신에게 주목한 순간, 저희는 관중을 확인했어

요. 하지만 특별한 반응을 보이는 자는 한 명도 없었어요.』

그들이 소동을 일으킨 순간에 아멜리는 란을 찾아야 했다.

눈을 속인 것이다.

이 얼마나 대담한 책략인가. 일부러 관중의 주목을 모아서 바꿔치기하다니.

"당신의 부관은……."

"—이미 훔쳤어."

그레테와 지비아가 의기양양하게 말했다.

그냥 패배가 아니었다. 완패였다. 모든 함정을 간파하지 못하고 그저 농락당했다. 아멜리가 가졌던 모든 것을 빼앗기고 절망만 남았다.

땅에 무릎을 꿇고 고개를 숙였다.

이윽고 아멜리를 포위하듯 건물 뒤편에서 소녀가 한 명씩 나타났다. 다들 생김새가 앳되어서 소녀라고 해도 지장이 없었다.

—자신들은 이런 어린아이에게 진 건가.

마음이 흔들리는 걸 느끼며 방금 자신이 한 생각을 스스로 부정했다.

—소녀들은 편린을 보였다. 일국의 위협이 될 조짐을.

무엇이 소녀들을 이토록 성장시켰을까. 클라우스의 지도일까. 아니, 그뿐만이 아니다. 아멜리의 직감이 답에 도달했다.

'—『봉황』?'

어째선지 그 팀의 이름이 머릿속을 스쳤다. 이유는 불명이었다.

클라우스가 아멜리 앞에 섰다.

"『조종자』, 너희는 가장 무거운 죄를 저질렀어."

강한 살기에 피부가 따가웠다.

"사정은 있었겠지. 하지만 그건 면죄부가 못 돼. 말을 들어 주지도 않고 『봉황』을 강습하여 내 친구를 죽이고 내 부하를 울린 죄는 무거워."

클라우스의 손에는 권총이 들려 있었다.

"각오는 됐겠지?"

알고 있었다.

구속당한 스파이의 말로는 누구보다 많이 보았다. 그냥 죽는 게 아니다. 끊임없는 고문이 계속된다. 이윽고 이성이 붕괴되어 모든 정보를 실토하게 된다. 인내나 정신력의 차원이 아니었다. 약품을 주입당해 인격조차 남지 않는다. 기다리고 있는 것은 어둠보다 깊은 절망이다.

아멜리는 품에서 단검을 꺼냈다.

칼날을 겨누는 곳은— 자신의 목.

오른손으로 손잡이를 세게 쥐고 왼손으로 칼등을 받쳤다. 두렵기는 했지만 떨리지는 않았다.

"안녕히 계세요, 손님."

결심하고 힘을 줬다.

하지만 칼날이 목에 닿기 직전에— 오른쪽 손목을 잡혔다.

지비아였다.

결사의 표정으로 단단히, 강한 힘으로 아멜리의 자결을 저지했다.

"죽게 해 주세요."

간청했다.

"지금, 여기서."

"안 돼. 당신한테 듣고 싶은 정보가 있어."

그 눈빛에는 예사롭지 않은 열이 담겨 있었다.

아멜리도 단검에 힘을 주며 저항했다.

"……동생들이 있죠?"

"엉?"

"당신이 옷을 갈아입으면서 했던 얘기는 도청기로 전부 들었어요. 작은 목소리도 감지해요. 우리의 기술력을 얕봤군요."

의기양양하게 웃어 보였다.

"제게도 가족이 있어요. 최소한의 정을 베풀어 주세요. 자살을, 허락해 주세요. 정보를 흘려서 가족을, 나라를— 왕을 배신할 바에야 깨끗하게 죽고 싶어요."

"……."

"이해할 수 있겠죠? 동생들이 있는 고아원에 급료를 전액 기부할 만큼 정이 깊은 당신이라면."

한 치의 거짓도 없는 본심이었다.

아멜리는 지비아의 이야기를 듣고 공감했다.

옷을 갈아입으면서 말했던 지비아의 어두운 출신— 폭력으로 점

철된 갱의 세계에서 필사적으로 도망친 남매. 지금도 동생들을 생각하는 다정한 마음.

지비아라면 분명 자결을 인정해 줄 거다.

하지만 지비아는 고개를 가로저었다.

"동생들이 **있었던** 고아원이야."

"……?"

"내 동생들은 죽었어. 살해당했어. 아버지 때문에 원한을 살 이유는 수두룩했어."

"——!"

아멜리는 눈을 홉떴다.

그렇다면 지비아의 이야기에는 이해할 수 없는 점이 있었다.

"당신은 그런데도 계속 기부를—."

대체 그 말은 어떤 심정으로 한 걸까.

—『가끔 눈을 감고 상상해……. 내 기부금으로 배불리 먹는 동생들을…… 바보처럼 웃는 모습을……. 만나진 못해도 그걸로 충분해…….』

"웃기지."

지비아는 자조하듯 어깨를 으쓱였다.

아멜리는 그저 마주 볼 수밖에 없었다.

"그러니까 부탁할게."

지비아는 아멜리의 손에 손가락을 얽어 능숙하게 단검을 훔쳤다.

"제발— 이 이상 나한테서 아무것도 뺏지 마."

에필로그 합동 임무

펜드 연방으로 출발하기 며칠 전에 있었던 일이다.

클라우스는 대외정보실의 본부에서 C와 만났다. 딘 공화국의 스파이 마스터를 맡은 남자는 『봉황』이 괴멸했음을 간략히 알리고 그들의 임무를 이어받아 달라고 부탁했다.

슬픔을 이성으로 억누르고서 클라우스는 새로운 임무 쪽으로 사고를 전환했다.

동포가 죽는 건 처음 있는 일이 아니었다.

가슴을 에는 비극이 일어나도 앞으로 나아가야만 했다.

"……애초에 『봉황』은 왜 펜드 연방에 갔지?"

"『화염』 괴멸과 관련된 일이야."

C가 대답했다. 눈초리가 매처럼 날카로운 로맨스그레이였다.

그는 테이블에 있던 파일을 휙 던졌다.

"『화염』 괴멸에는 여전히 불가사의한 점이 많아. 그 조사를 맡겼었어."

클라우스는 고개를 끄덕였다.

예전에 가족처럼 사랑했던 전설적인 스파이 기관의 괴멸에는 의문점이 남아 있었다.

—『거광』 기드는 왜 배신했는가?

—생물 병기 탈환 임무 중이었을 『홍로』가 왜 미타리오에 있었는가?

단서라고는 대외정보실에 도착한 시신 여섯 개뿐이었다.

『홍로』 페로니카. 무자이아 합중국에서 『보라개미』에게 살해당한 보스.

『포락』 게르데. 사망 장소 불명. 깊이 베인 상처를 입었던 노파 저격수.

『매연』 루카스. 사망 장소 불명. 오른쪽 몸이 불타 있었던 천재 게이머.

『작골』 빌레. 사망 장소 불명. 쌍둥이 형과 마찬가지로 왼쪽 몸이 불타 있었던 점술가.

『선혹』 하이디. 사망 장소 불명. 독살당해 꽃으로 꾸며져 있었던 관능 소설가.

『거광』 기드. 시신을 위장하고 가르가드 제국에서 『청파리』라고 불리고 있었던 싸움꾼.

그들이 사망 직전에 어디서 뭘 하고 있었는지도 불명이었다.

당시 클라우스는 기드의 계략으로 먼 곳에 있었다. 『화염』이 어땠는지는 잘 몰랐다.

"그들이 왜 죽었는지 이유를 찾는 건 우리에게 주어진 커다란 일 중 하나야. 전 세계에서 암약하기 시작한 『뱀』이 그 죽음에 엮여 있을 테지."

"그래."

"『봉황』에게 조사시킨 건— 『포락』 게르데의 사망 경위야."

뜻밖의 정보에 눈을 크게 떴다.

클라우스는 상대를 노려보았다.

"왜 나한테 안 맡겼지?"

"『포락』이 사망하기 5개월 전에 『비금』은 펜드 연방에서 그녀와 접촉했어. 롱청에서 수행한 임무로 그들은 크게 성장했다고 들었어. 그들에게 맡기는 게 적임이었어."

"하지만 그래도……."

"너한테는 그 밖에도 중요한 방첩 임무가 있었어. 잘못된 판단은 아니었어."

—하지만 그 결과 『봉황』은 괴멸했다.

화가 나기는 했다. 하지만 지금은 책임을 추궁할 때가 아니었다.

지금 밝혀야 하는 것은 그들이 살해당한 이유였다.

"누가 『봉황』을 없앴을까……?"

클라우스는 수없이 머릿속을 스치는 의문을 꺼냈다.

"유일한 단서는 이거야."

C는 자료 한 장을 내밀었다.

"『비금』은 괴멸 직전에 연락책(메신저)에게 메시지를 남겼어."

"……빈드가? 어떤 메시지였지?"

클라우스는 재빨리 자료를 훑어보았다.

《—『포락』의 유산을 찾았음. 자세한 내용은 구두로 전하겠음.》

눈을 부릅떴다.

기밀 정보는 통신 도청을 경계하여 구두로 전하는 게 기본이었다. 빈드는 상당히 기밀성이 높은 정보에 다다른 것이다.

—그래서 살해당했나?

곧장 결부시키는 건 성급한 짓이었다. 하지만 기밀 정보를 손에 넣은 직후에 죽은 건 우연치고는 너무 절묘했다.

"『등불』에 임무를 주겠다."

C가 클라우스에게 고했다.

"첫째, 펜드 연방에서 『봉황』의 사인을 조사하라. 둘째, 그 이면에 숨은 적을 해치워라. 셋째, 『봉황』이 발견한 《게르데의 유산》을 손에 넣어라."

그 임무의 이름은 알고 있었다.

동포가 속행할 수 없다고 판단된 임무를 이어받아 성공시키는 것. 수많은 스파이 임무 중에서 가장 큰 난관에 속하는— 불가능 임무.

그렇게 『등불』은 몸을 던진다.

《게르데의 유산》을 둘러싼, 스파이의 책모가 얽힌— 펜드 연방 모략전에.

◇◇◇

그리고『등불』은 첫 번째 미션을 클리어했다.

휴로 끝자락에 있는 산속에서 클라우스와 소녀들은『배리어스』 24명을 구속했다. 여기 없는『자괴 인형』이란 부관은 아네트가 구속했다고 했다.『연화 인형』은 다른 곳에 가둬 뒀다.

총으로 발을 쏜 적에게는 간단한 처치를 베풀었다.

당장 죽을 사람은 아무도 없었다. —이 이상『등불』이 공격을 가하지 않는다면.

방첩 부대『배리어스』의 생사는 클라우스가 쥐고 있었다.

"……왜 우리를 적대하는 거죠?"

클라우스는 아멜리를 관리 사무소까지 연행했다.

다른 부하들은 공사 현장 구석에 나란히 구속해 뒀다. 도망치거나 자살하지 않도록 권총을 든 소녀들이 감시하고 있었다.

부하와 떨어진 아멜리는 짜증스레 말했다.

"딘 공화국의 목적을 모르겠어요. 다린 황태자님을 죽이고, 그걸 수사하는 우리를 붙잡아서…… 뭘 하고 싶은 거죠?"

"그렇군. 우선 설명하지."

클라우스는 빈방의 문을 열었다.

온몸에 붕대를 둘둘 감은 소녀가 그늘진 눈으로 방 중앙에 서 있었다.

"『뜬구름』 란……!"

아멜리가 신음했다.

중성적으로 생긴 연지색 머리 소녀는 조용히 머리를 숙였다.

"맞소. 『뜬구름』 란이오."

"화톳불!"

아멜리가 눈을 치켜떴다.

"역시 당신이 『뜬구름』을—."

"누명이오. 『봉황』은 다린 황태자 암살에 관여하지 않았소."

클라우스 대신 란이 대답했다.

란은 일순 분한 듯 주먹을 움켜쥐었다가 깊이 머리를 숙였다.

"믿어 주시오. 『봉황』은 결백하오. 펜드 연방에 아무런 위해도 가하지 않았소."

"뻔뻔하게 잘도 그런 소리를……!"

아멜리가 노기 어린 목소리로 말했다.

아멜리의 발에 힘이 들어가 있었다. 반사적으로 눈앞의 소녀를 죽이려는 충동을 꾹 참는 것처럼 싸늘한 살기를 발산했다.

"아멜리— 아니, 『배리어스』의 보스."

클라우스가 제지했다.

"란의 이야기를 들어 줘. 지금 누구보다 너를 죽이고 싶어 하는 사람이야. 그걸 이성으로 억누르고서 머리를 숙이고 있는 거야. 우리가 바라는 건 대화야.”

“대화라고요? 이런 짓을 벌여 놓고서—.”

“이러지 않았다면 너는 란의 말에 귀를 기울이지 않았겠지.”

“……윽.”

“만약 대화를 거절한다면 나는 최종 수단을 행사하겠어. 내가 더 말하게 하지 마.”

아멜리라면 알아들을 것이다.

최종 수단이— 고문임을.

붙잡힌 부하를 아멜리 앞에서 차례차례 죽인다. 아멜리의 마음이 부서져서 인격이 완전히 망가질 때까지. 클라우스가 마음만 먹는다면 당장에라도 실행에 옮길 수 있었다.

불만스러운 듯 입술을 깨문 아멜리는 이윽고 「……알겠어요」 하고 고개를 끄덕였다.

란은 전부 이야기했다. 『봉황』은 펜드 연방에서 모습을 감춘 스파이의 발자취를 찾고 있었다는 것. 갑자기 『배리어스』에게 습격받았다는 것. 다린 황태자는 안중에 없었다는 것.

란이 논리 정연하게 호소하는 말을 아멜리는 묵묵히 듣고 있었다.

“애초에.”

마지막으로 클라우스가 질문을 던졌다.

“『배리어스』는 뭘 근거로 『봉황』이 황태자 암살에 관여했다고 판단한 거지?”

“……상층부의 지시였어요.”

"증거를 보지도 않고 암살을 실행한 건가?"

"그러라고 명령받았어요."

아멜리의 목소리에는 패기가 없었다.

"우리에게는 우리의 방식이 있어요. 체스말은 플레이어의 진의를 의심하지 않아요."

"CIM의 상층부—『하이드』였나?"

"……네, 잘 아시는군요. 저도 자세한 건 몰라요."

클라우스도 이름은 알고 있었다.

펜드 연방의 첩보 기관인 CIM의 최고 기관『하이드』— 스파이 다섯 명으로 이루어져 있으며, 그 모습은 직속 부하조차 모른다고 했다.

아멜리가 의아해했다.

"그들이 거짓말하고 있다는 건가요?"

"그렇게 판단해야 해. 이중 스파이가 있거나 그들도 속고 있거나. 펜드 연방의 심부에 큰 병폐가 있는 모양이야."

클라우스는 결론지었다.

"……다린 황태자 암살을 보조한 자가『하이드』에 있는 거겠지."

"그럴 리 없어요!!"

아멜리가 언성을 높였다.

"결국 당신들의 얘기에는 근거가 없어요! 적당한 거짓말을 우리에게 불어넣어서『배리어스』를 조종하려는 거예요. 아닌가요?!"

"근거를 보여 주지 못하는 건 너도 똑같아."

"하지만—!"

"『조종자』의 수준은 그 정도인가? 지비아와 란의 호소를 듣고 아무것도 못 느꼈나? 어떻게 생겼는지도 모르는 상사를 맹신하며 눈앞에 있는 진실마저 놓치는 건가."

"……윽."

아멜리는 입을 다물었다.

눈에서 강한 갈등이 느껴졌다. 상층부를 의심하다니 생각할 수도 없다는 것처럼.

"……우리는 당신을 신뢰할 수 없어요."

작은 중얼거림이었다.

"제 부하를 상처 입혔어요. ……그리고 당신이 처음부터 전부 밝혔다면 다린 황태자님을 지킬 수 있었을지도 몰라요."

"몇 번이나 말했어. —『봉황』이 죽였을 리 없다고 말이야. 너는 귀를 기울이지 않았어."

"하지만……."

"아멜리, 우리는 꽤 양보하고 있어. 장래 유망한 동포가 다섯 명 죽었어. 이 이상 우리의 감정을 건드리지 마."

"……."

아멜리는 어색한 듯 침묵했다.

클라우스는 고개를 가로저었다.

"……이제 됐어. 시간도 없어. 전부 얘기해. 안 그러면 『배리어스』를 전원 죽이겠어."

"……"

"스파이라면 자국의 안녕을 우선해. 배신자일지도 모르는 상사를 맹신하고 말소당할 건가? 형식상으로라도 우리를 믿고 살아남아서 앞으로도 계속 나라를 지킬 건가? 어느 쪽을 원하지?"

클라우스가 엄격한 음성으로 위협했다.

만약 아멜리가 대화를 거부한다면 클라우스는 마음을 모질게 먹고 『배리어스』를 몰살할 생각이었다. 자국을 지키기 위해 누구에게도 『등불』의 흉행이 알려져선 안 된다. 마음씨 착한 소녀들은 충격을 받겠지만, 어쩔 수 없는 상황이었다.

아멜리는 양손으로 얼굴을 덮었다.

"……뭘 듣고 싶은 거죠?"

대화에 응할 생각인 것 같았다.

클라우스는 아멜리 앞에 의자를 내밀었다.

"『봉황』의 죽음에 관해 말해. 수상한 점이 있을 거야."

"——! 어떻게 그걸?"

"그냥 알았어."

아멜리가 입을 벌렸다.

클라우스는 조금 망설였다가 말하기로 했다.

"너 정도 실력으로 『봉황』을 죽일 수 있을 리가 없잖아."

◇◇◇

클라우스의 예상은 맞았다.

『배리어스』는 『봉황』을 끝장내지 못했다.

아멜리는 못마땅한 모습으로 이야기했다.

"습격한 건 사실이에요. 하지만 혼전이 벌어졌고 저희도 막대한 피해를 입었어요. 날이 밝고 나서 『봉황』의 시신은 찾았지만, 누가 죽였는지는 확실하지 않아요."

확실하게 죽인 건 제일 먼저 동료를 감싼 『개풍』 크노뿐이었다.

물론 그렇다고 해서 멤버들이 살아 있을 가능성이 있는 건 아니었다. 그들의 시신은 발견되었다.

누군가가 죽인 것이다. ―궁지에 몰린 그들에게 추격타를 먹여서.

아멜리는 『배리어스』의 부하가 목숨을 던져 죽인 게 아닐까 예상했지만 클라우스는 직감적으로 부정했다. 빈드는 머지않아 세계 유수의 실력자가 될 남자였다. 목숨을 던지더라도 『배리어스』 따위는 죽일 수 없다.

클라우스는 『봉황』의 시신을 어디서 찾았는지 물었다. 역시 그들의 시신은 언론 발표와는 다른 곳에서 발견됐었다.

『봉황』은 테레코강 상류로 도망친 것 같았다. 하류로 대피시킨 란으로부터 관심을 돌리기 위해 그랬을 것이다.

자두나무가 늘어선 언덕이었다. 열매가 달리지 않은 앙상한 나무들이 늘어서 있었다. 검은 까마귀가 고양이 사체를 쪼아 먹고 있었다.

오전 네 시, 클라우스는 부하 몇 명과 함께 그곳을 찾았다.

"찾자. 그 녀석이라면 힌트를 남겨 뒀을 거야."

빈드가 그냥 죽었을 리 없었다. 어딘가 나무에 암호를 새겨 뒀을 것이다. 딱히 근거는 없었다. 그저 빈드에 대한 신뢰였다.

신경 쓰이는 건 빈드가 남긴 말인《게르데의 유산》이지만—.

"아, 그러고 보니—."

사라가 말했다. 자두나무 뿌리를 손전등으로 비추면서.

"—란 선배는《유산》에 관해 모르나요?"

"모르오."

란이 즉답했다.

"소생들은 따로 행동하는 일이 많았소. 정보를 공유하기 위해 모였던 밤,『배리어스』에게 습격받았소."

"그랬군요……."

"원통하오. 이 분노를 어디에 부딪치면 좋을지 여전히 모르겠소."

란은 다친 몸을 이끌고서 수색에 참가해 있었다. 란과 사라는 진지한 눈으로 손전등을 쥐었다.

반면 늘 그렇듯 시끄럽게 떠드는 두 사람이 있었다.

"넌 일 좀 해! 이번에는 대단한 일도 안 했잖아!"

"나갈 수 없었다고요! 파티가 끝날 때까지 숨어 있을 수밖에 없잖아요!"

지비아와 릴리였다.

손은 진지하게 움직이며 찾고 있지만 서로 시끄럽게 매도하고 있었다.

참고로 지비아가 지적한 대로 이번에 릴리의 활약은 적은 편이었다. 〈백로 저택〉의 식탁 아래 잠복해 있다가 지비아가 밀어 넣은 『연화 인형』을 독으로 잠재웠을 뿐이었다. 그 후에는 『배리어스』에게 발각당하지 않도록 숨어 있을 수밖에 없었다고 한다.

지비아에게 엉덩이를 걷어차인 릴리는 후다닥 뛰어갔다. 동료에게 기합을 넣은 후 지비아도 작업을 재개했다.

클라우스는 어이없다는 표정으로 다가갔다.

"지비아, 너는 쉬어도 돼. 이번에 가장 많이 일한 사람은 너야."

자두나무 언덕에 있는 사람은 다섯 명뿐이었다.

격렬한 전투를 벌인 직후였다. 다른 멤버는 휴식도 겸해 『배리어스』의 거점으로 보냈다. 지금쯤 차라도 마시며 『배리어스』가 모은 데이터를 보고 있을 것이다.

"괜찮아. 지금은 움직이고 싶어."

지비아는 고개를 가로젓고 자두나무에 손전등을 비췄다.

하지만 역시 피로가 쌓였을 것이다.

「으억」 하고 얼빠진 소리를 내며 나무뿌리에 발이 걸렸다.

클라우스는 팔을 뻗어 쓰러지기 직전인 지비아를 잡았다.

"조금 쉬지. 네 체력도 무한하진 않아."

"미, 미안……."

지비아는 부끄러운 듯 뺨을 붉혔다. 클라우스 곁을 벗어나 커다란 자두나무 아래에 앉았다.

내버려 두기도 불안해서 클라우스도 옆에 앉았다.

격전의 끝이라고 하기에는 너무 고요한 밤이었다. 펜드 연방의 서늘한 밤바람이 지표를 쓸었다.

지비아의 어깨가 클라우스의 어깨에 부딪쳤다.

살짝 몸을 기대 왔다.

"……당신은 알고 있었지?"

뭘 말하는 걸까.

고민하고 있으니 지비아가 설명해 줬다.

"내 동생들이 한참 전에 죽었다는 거."

"그래. 양성 학교의 교관에게 들었어."

아멜리 앞에서 밝혔던 일을 말하는 것이리라.

지비아는 동료에게도 그 사실을 확실하게 말한 적이 없는 것 같았다.

아버지가 수령으로 있었던 갱단 『식인귀』에서 빠져나와 고아원에 거둬지고, 동생들의 기대를 받으며 스파이 양성 학교에 가서— 4년 후, 지비아의 동생들은 살해당했다.

지비아는 **거칠어졌다.**

밤마다 양성 학교를 빠져나가 피비린내를 풍기며 숙소로 돌아왔다. 그때 지비아가 뭘 했는지는 본인만이 알았다. 교내에서 폭력 사건을 일으키며 성적도 크게 떨어졌고, 원래부터 학력 시험 성적이 좋지 않았던지라 퇴학 직전까지 몰렸다.

그게 클라우스가 아는 정보였다.

"말해 두는데, 동정하지 마."

지비아는 명랑하게 말했다.

"이미 회복됐어. 내 사명은 변함없어. 강해질 거야. 이 세계에서 조금이라도 아이들이 울지 않도록 계속 움직일 거야."

슬프게 웃었다. 가슴속에 간직한 아픔을 견디듯이.

지비아는 앞을 바라보았다.

"그리고—."

"……?"

시선 끝에는 필사적으로 돌아다니는 사라와 릴리가 있었다.

"지금은 저 녀석들이 있어. 문제 행동만 일으키는 동생들이."

그런가, 하고 클라우스는 고개를 끄덕였다.

『지비아 언니』 하고 귀엽게 다가오는 에르나와 『지비아 누님!』 하고 달려드는 아네트도 거기에 포함되어 있을 것이다. 어쩌면 삐뚤어진 성격의 청은발 소녀와 연애에 서툰 붉은 머리 소녀, 편향된 성 지식으로 폭주하는 흑발 소녀도.

지비아는 다시 가볍게 어깨를 부딪쳤다.

"나한테는 당신도 동생이나 마찬가지야."

"……내가? 처음 듣는 소리인데."

"굉장히 손이 많이 가니까. 눈을 뗄 수가 없어."

"납득이 안 가."

"지켜 줄게. 누나가 몸을 던져서 어디든 돌격해 줄게."

올곧은 말이 무척 눈부셨다.

그녀는— 비뚤어지지 않는다.

당연하다는 듯 다른 사람을 아끼고, 당연하다는 듯 부고를 슬퍼할 수 있다.

아픔으로 가득한 이 세계에서, 혹은 거짓과 모략으로 가득한 스파이 세계에서, 혹은 비틀리고 꼬인 소녀들이 모인 『등불』 안에서 그녀는 희귀한 존재였다.

그래서 멤버들은 지비아의 밝음에 구원받는다.

뛰어난 연계를 발휘하여 온갖 어려움을 파워풀하게 때려 부숴 나간다.

"—극상이야."

그렇게 칭찬할 수밖에 없었다.

지비아는 부끄러운 듯 표정을 풀었다. 「그 말은 너무 자주 들어서 안 기뻐」 하고 화난 것처럼 입술을 삐죽였다.

그러다 뭔가를 발견했는지 「응?」 하는 소리를 냈다.

"저기……."

지비아가 손전등으로 정면에 있는 자두나무를 비췄다.

그 표피에 동물이 발톱을 간 것 같은 자국이 있었다. 얼핏 보면 고양이나 여우의 소행 같았다. 하지만 자세히 보면 단검으로 만든 자국이란 걸 알 수 있었다.

딘 공화국의 스파이만 읽을 수 있는 암호— 빈드의 유언이었다.

클라우스와 지비아는 바로 일어나 그 자두나무로 다가갔다. 한 달이 지나서 나무껍질에 새겨진 자국은 아물어 가고 있었지만 어떻게든 읽을 수 있었다.

—『봉황』은 해냈다.

『배리어스』의 습격을 뿌리치고, 부관을 몇 명이나 죽이고, 동료인 란을 대피시키고, 그리고 목숨이 다하기 직전에 흑막의 정체를 파악해 정보를 남겼다.

평범한 사람은 결코 이룰 수 없는 위업이었다.

마지막 순간까지 긍지 높은 엘리트들이었다.

"그 녀석들도, 죽지 않았으면 했는데……."

지비아의 뺨에 눈물이 흘렀다.

"왜 나한테서, 소중한 걸…… 뺏어 가는 거야……."

반복되는 상실 속에서 소녀는 울었다.

◆◆◆

—밀월 마지막 날.

잊을 수 없는 송별회 밤이었다.

『봉황』이 펜드 연방으로 출발하기 전날, 스파이들은 아침까지 야단법석을 떨었다. 아지랑이 팰리스의 외벽에는 그때 그린 그림이 남아 있었다. 누가 제안했는지도 기억나지 않았다. 다 같이 한 줄씩 빨간 선을 그어서 그 그림을 완성시켰다.

불사조(피닉스)—『봉황』과 『등불』의 상징이었다.

다른 사람들을 계속 놀려 대던 잘생긴 남자 빅스가 웃었다.

"순식간에 지나간 한 달이었네요♪ 왠지 서운해요♪."

이 사람 저 사람 가리지 않고 껴안던 여성 팔마가 탄식했다.

"싫다~ 팔마 섭섭해~ 또 만나고 싶어~."

개성적인 동료에게 휘둘리는 소녀 큐르가 고개를 끄덕였다.

"괜찮아. 의외로 롱청 때처럼 금방 재회할지도 몰라."

말은 없어도 남몰래 동료를 생각하는 남자 크노가 중얼거렸다.

"……옳다. 그때 합동 임무를 수행하면 된다."

유일하게 살아남게 되는 트러블 메이커 소녀 란이 웃었다.

"음, 오히려 기대되오. 꼭 하고 싶소."

가장 많이 아지랑이 팰리스에 왔던 청년 빈드가 말했다.

"……발목이나 잡지 마, 여자들."

불사조는 누구도 죽지 않았으면 좋겠다는 기도를 담은 그림이었다. 재회하길 바랐었다. 하지만 그 소원은 이루어지지 않았다.

한없이 깊은 슬픔이 소녀들의 가슴을 찢었다.

◆◆◆

"웃기지 마……."

지비아는 눈물을 흘리며 탄식했다.

『봉황』 멤버의 죽음은 『등불』의 소녀들에게 큰 상처와 성장을 가져왔다.

그들의 유지는 소녀들의 혼에 계승된다.

—엿이나 먹으라지.

그런 결말은 조금도 바라지 않았다.

줄곧 미숙해도 좋으니 그들을 계속 동경하고 싶었다. 이런 상실을 맛볼 바에야 낙오자로 있으면서 엘리트를 질투하고 싶었다. 그들에게 무시당하고 싶었다.

어떤 말로 얼버무리려고 해도 이 결말은 해피 엔딩이 될 수 없다.

—【친애하는 낙오자들에게.】

빈드가 새긴 유언을 보고 지비아는 소리 없이 울었다.

비뚤어지지 않는 그녀는 그 메시지를 정면으로 받아들였다. 동포의 죽음을 강하게 슬퍼하며 억수같이 눈물을 흘렸다.

"지비아, 너는 누구보다도 다정해."

클라우스는 그녀 옆에 나란히 섰다.

"—애도하자. 이 임무를 끝까지 완수해서."

빈드는 자신을 죽인 인물의 특징을 적어 뒀다.

『배리어스』가 습격한 타이밍에 나타나 『봉황』을 끝장냈다. 『배리어스』와 이어져 있을 것이다. 아마 CIM의 상층부에 거짓 정보를 흘린 자도 그들이리라.

습격자는 두 명이었다.

—오른팔에 특수한 의수를 여러 개 단, 검은 눈을 가진 남자.

—가학적인 미소를 머금은, 양쪽 어깨에 금이 간 것 같은 커다란

흉터가 있는 소녀.

남자가 소녀를 부른 이름을 빈드는 들었다.

―『초록나비』.

이 코드 네임 작명법은 어떤 조직을 연상시켰다. 『청파리』『흰거미』『보라개미』라는 이름을 대며 세계를 혼돈에 빠뜨리는 스파이들.

그 존재는 지금까지 클라우스와 티아의 숙적이었다.

다른 소녀들과 직접적인 인연은 없었다. 하지만 이 순간, 그들은 『등불』 전원의 숙적이 되었다.

펜드 연방에 『뱀』이 숨어 있다.

한바탕 울고 나서 지비아는 하늘을 올려다보았다.

클라우스도 똑같은 고개를 들었다.

별이 보였다. 어젯밤부터 내린 호우가 대기 중의 먼지를 씻어 내린 것 같았다. 거리를 덮었던 짙은 안개가 사라지고 심해 같은 진한 남색 하늘이 보였다. 셀 수 없이 많은 별이 반짝이고 있었다. 바람이 불면 날아갈 듯한 약한 빛. 하지만 눈을 뗄 수 없었다. 가슴 시리도록 아름다운 별하늘이었다. 몸 안쪽에서 이름 없는 충동이 솟구쳤다.

"하자, 보스."

지비아가 말했다.

"『등불』과 『봉황』― 처음이자 마지막 합동 임무야."

NEXT MISSION

클라우스는 빈드의 유언을 바라보며 그 기척을 느끼고 있었다.

이 메시지를 남긴 후, 빈드는 죽었을 것이다. 빅스, 큐르, 팔마도 당하고『봉황』은 괴멸했다.

—펜드 연방에 잠복해 있는『뱀』.

팔이 여러 개인 남자, 흉터가 있는 소녀.

연상했다.

빈드가 조우했다는, 펜드 연방에 체재 중이던『포락』게르데. 그녀를 죽인 것도 이 두 사람 중 하나일까. 나이를 먹기는 했지만 게르데를 죽일 수 있는 스파이가 그리 많지는 않을 것이다.

'불길한 예감이 들어…….'

자두나무 언덕에서 클라우스는 입가에 손을 올리고 생각에 잠겼다.

"릴리, 다른 멤버와 먼저 합류해 줘."

다가온 부하에게 지시를 내렸다.

"나는 잠시 이곳에 남겠어. **그 녀석**을 어떻게 쓸지. 타이밍을 생각하고 싶어."

"아, 혹시—."

그 녀석이라고 말했을 때, 릴리의 표정이 밝아졌다.

"이 나라에 오기 전에 정한 그 작전을 말씀하시는 건가요?"

"……뭐, 그런 거지."

"알겠습니다. 그럼 저희는 이만!"

릴리가 척 경례하고서 다른 소녀들을 데려갔다. 조용한 언덕에 클라우스만 남았다.

확인하고 싶은 게 있었다.

—펜드 연방으로 오기 직전에 클라우스는 어떤 책략을 준비했다.

가혹한 싸움이 될 것은 예상이 갔다.

누구도 죽지 않고 살아남기 위해 모든 소녀에게 책략을 전해 뒀다.

—『등불』에 새로운 스파이를 맞이하고 싶다.

정확히는 여덟 소녀와는 별개로 가입하는 형태였다. 항상 함께 활동하는 건 아니지만, 필요할 때는 그 힘을 마음껏 발휘하게 할 생각이었다. 그 스파이에게는 다른 소녀는 만들 수 없는 무기가 있었다.

소녀들은 흔쾌히 승낙했다. 클라우스가 그 가입자를 소개했을 때, 박수로 환영했다.

그자는 이미 펜드 연방에 잠복해 있었다.

'—지금 내가 가장 신뢰할 수 있는 스파이.'

클라우스는 어둠을 향해 말했다.

"코드 네임 『형안(炯眼)』— 준비는 됐나?"

대답은 없었다.

기척을 지운 스파이는 자신의 사명을 완수할 타이밍을 엿보고 있었다.

◇◇◇

펜드 연방에서 『등불』과 『뱀』이 재차 맞부딪친다.

두 팀은 서로 비장의 카드를 준비한다.

『등불』이 준비한 책략, 코드 네임 『형안』.

이에 맞서 『뱀』이 준비한 책략은—.

◇◇◇

"절·체·절·명—!"

수도 휴로의 중앙에는 큰 시계탑이 있었다. 국회 의사당도 겸하는 그 건물은 나라의 상징이기도 했다.

하지만 그 시계탑 위에 서 있는 자가 있었다.

달을 향해 울부짖듯이 한 소녀가 즐겁게 외치고 있었다.

윤기 흐르는 아름다운 머리카락이 달빛에 반짝이며 나부꼈다. 화려한 민소매 드레스를 입은 소녀는 가파른 지붕 위에서 춤추듯 빙그르르 돌고 있었다. 때때로 밤하늘을 향해 「절체절명!」 하고 외쳤다. 위험하다 소리 지르고 있을 텐데 환희에 떨면서.

어깨에서 팔꿈치까지 번개처럼 생긴 커다란 상처가 있었다. 심지어 양쪽 어깨에.

—『초록나비』.

가르가드 제국의 첩보 기관『뱀』의 멤버였다.

펜드 연방에 잠복해 많은 공작을 해 온『뱀』의 최연소 스파이였다.

그녀는 시계탑 위에서「하아~」하고 희열에 찬 한숨을 쉬었다.

"설마『배리어스』가 이렇게 빨리 당할 줄이야. 대단하네. 이게 클라우스 씨인가~ 확실히 내버려 둘 수 없겠어. 너무 강해."

『초록나비』는 줄곧 보고 있었다. 그 기량을 확인하기 위해 〈백로 저택〉의 파티에 숨어들어 있었다.『배리어스』에게 전혀 들키지 않고.

"흰거미 씨는 말했습니다."

그녀는 장난스러운 어조로 낭송했다.

"그 괴물과 대치할 때는 늘 선수를 쳐야 한다고. 대응하기 전에 철저히 약탈하여 끊임없이 지옥을 만들어야 한다고."

동료에게 받은 조언을 확인했다.

이대로 있으면 살해당할 거야, 하고 웃으며 중얼거리고서 초록나비는 돌아보았다.

"그러니까 책략을 동원해야지. 최저 최악의 작전을 완성시키는 거야."

그녀는― **옆에 있는 소녀에게 미소 지었다.**

"새로운 코드 네임을 줄게. 네 이름은―『다홍이무기』."

"……."

옆에 있는 소녀는 조금도 웃지 않았다.

“원래 이름도 운명적이라서 좋아하지만. 뭐, 기분을 일신하는 의미에서.”

『초록나비』는 그 소녀의 등을 두드렸다.

콧노래를 흥얼거리며 휴로의 시가지를 향해 큰 소리로 선언했다.

노래하듯 크게 목청을 높이고서 『초록나비』는 눈을 부릅떴다.

“자, 떨어라, 우민들아! 미칠 듯이 아름다운 악몽을 골수까지 새겨 넣어라!!”

『뱀』이 준비한 책략—『다홍이무기』.

그건 그녀가 말한 대로 세계에 불길한 공포를 퍼뜨리기 시작한다.

◇◇◇

릴리와 지비아는 『배리어스』의 거점으로 가고 있었다.

란은 상처가 낫지 않았기에 쉬게 했다. 사라가 지비아의 거점으로 바래다주고 있었다.

현재, 다른 동료들은 『배리어스』의 거점에 있을 터였다.

『배리어스』가 모은 자료를 닥치는 대로 훔쳐보고 있을 것이다. 클라우스의 협박에 체념한 아멜리가 안내해 주고 있을 터다. 이쪽은 부하 전원을 언제든 매장할 수 있게 준비해 뒀다. 물론 그런 짓을 하고 싶지는 않지만.

시각은 오전 다섯 시쯤 되었고, 아직 아침 해는 떠오르지 않았다.

릴리와 지비아는 기진맥진한 몸을 채찍질하여 휴로의 거리를 달렸다.

"그러고 보니."

릴리가 중얼거렸다.

"결국 다린 황태자를 죽인 것도 『뱀』인 걸까요?"

"응? 아, 그러고 보니 의문이네."

지비아가 고개를 끄덕였다.

"그 부분은 아직 꽤 수수께끼란 말이지. 어쨌든 용서할 수 없어."

"……날이 밝으면 전 세계가 동란에 휩싸이겠죠."

세계가 바뀌려 하는 것을 두 사람은 느끼고 있었다. 전 세계의 뉴스는 한동안 암살 사건으로 뒤덮일 것이다. 펜드 연방의 왕족을 죽인다는 건 그런 거였다.

하지만 그 목적은 알 수 없었다.

중세 시대도 아니고, 보통은 전쟁 상태에도 타국의 왕족은 죽이지 않는다. 전쟁에 제동이 걸리지 않게 되기 때문이다. 만약 가르가드 제국의 짓이라면, 그 사실이 발각될 시 다시 전 세계가 제국에 적의를 보낼 것이다.

"혼돈을 낳는다고는 하지만 역시 너무 위험한 것 같은—."

릴리가 중얼거렸을 때였다.

두 사람의 시야에 뭔가가 잡혔다.

—화재였다.

거리 한편에 불이 나 있었다. 새벽이라 아직 거리는 시끄럽지 않지만, 그건 틀림없이 불길이었다.

『카샤드 인형 공방』— **『배리어스』의 거점이 불타고 있었다.**

"맙소사!"

두 사람은 비명을 지르고 속도를 올렸다. 거점에는 다른 동료들이 있을 터였다. 무사히 대피했을까.

황급히 건물 앞으로 달려가니 두 인물이 멍하니 서 있었다.

아멜리와 『연화 인형』이었다.

그녀들은 믿을 수 없는 광경을 보는 것처럼 굳어 있었다. 얼굴에는 뭔가에 맞은 듯한 상처가 있었다.

"당신, 들……."

갈라진 목소리로 아멜리가 말했다.

"……안에…… 당신들의 동료들이…… 어째서……?"

그 말만으로도 뛰어들기에는 충분했다.

불은 아직 2층짜리 공방 전체에 번지지 않은 상태였다. 2층에서 불이 났는지 1층은 아직 원형을 유지하고 있었다.

지비아와 릴리는 숨을 멈추고 달려 들어갔다.

입구 바로 옆에 있는 문이 열려서 안쪽 상황이 보였다.

—등에서 대량의 피를 흘리며 쓰러진 그레테.

말을 잇지 못하는 지비아 옆에서 릴리가 빠르게 판단을 내렸다. 지비아의 목덜미를 잡아 공방 안쪽으로 들어갔다.

희생자는 그레테뿐만이 아니기 때문이다.

그레테가 생사 불명의 중태인 건 틀림없다. 하지만 아멜리는 「동료들」이라고 했다. 그레테 말고도 부상자가 있다. 그뿐만 아니라 적도 아직 건물 안에 있을지 모른다.

이미 죽었을 수도 있는 인간의 안부를 확인하기보다 1초라도 빨리 다른 동료의 구조를 우선했다. 마음을 죽이고 실행한 합리적인 판단이었다.

복도를 더 나아가니 벽에 기대앉아 있는 새로운 동료가 보였다.

—부서진 피투성이 오른팔을 잡고서 주저앉은 티아.

"릴리, 지비아……."

티아는 아직 의식이 있었다.

괴로운 듯 헐떡이며 목소리를 쥐어짰다.

"위쪽에, 부탁해……!"

릴리는 즉각 뛰어 올라갔다. 몇 초 늦게 지비아도 뒤따랐다. 2층 계단 정면에 있는 커다란 공방에서 소리가 났다. 타오르는 불길 속을 릴리와 지비아는 달려갔다.

악몽이 시작됐다.

이제껏 경험한 적 없는 미증유의 공포가 다가오고 있었다.

문을 열자 다음 참상이 눈에 날아들었다.

—불타는 공방에 쓰러져 기절해 있는 에르나.

그녀 곁에는 이마에서 피를 흘리는 아네트가 서 있었다. 한 손에 발명품일 쇠막대기를 들고서 멍한 눈으로 앞을 보고 있었다.

다음 순간, 그녀의 몸이 옆으로 날아갔다.

—벽에 부딪쳐 다량의 피를 토하는 아네트.

내장이 손상됐을지도 모른다. 아네트가 토한 피의 양을 보고 추측했다.

불길 속에 두 소녀가 나란히 서 있었다.

한쪽은 양팔을 가르는 듯한 커다란 흉터를 드러내고 있었다. 빈드의 유언에 있었던 존재. 그녀가 『초록나비』일까.

그리고 그녀 옆에서 방금 아네트를 단도로 깨부순 이는―.

"역시 운명적이란 말이지."

『초록나비』는 즐겁게 말했다.

"분명 예고였던 거야. 그 코드 네임. 이제는 『다홍이무기』지만."

―『초록나비』 옆에 단도를 든 모니카가 서 있었다.

릴리와 지비아는 움직이지 못했다. 눈앞의 광경을 이해하는 데 뇌의 리소스를 할당해야 했다. 그 정도로 비현실적인 광경이었다.

왜 모니카가 『초록나비』 옆에 서 있는가. 왜 아네트를 단도로 때렸는가. 그레테, 티아, 에르나를 습격한 사람은 그녀인가.

모니카는 입을 열지 않았다.

그저 전방에 유리병을 던졌다. 안에 액체가 들어 있었다. 바닥에 쏟아진 액체에 곧장 불이 붙었다.

릴리와 지비아를 에워싸듯 불길이 거세졌다.

검은 연기 너머에서 모니카가 몸을 돌렸다.

"―미안."

희미한 속삭임이 들린 것 같았지만, 그건 불타 무너지는 건물 소리에 지워졌다.

『초록나비』는 운명이라고 표현했다.

배신자의 이름은 『빙인(氷刃)』 모니카— 등불의 유대를 잘라 버리는 차갑고 예리한 **얼음 칼날**.

■작가 후기

6권 후기에서 말할 내용은 아니지만, 5권을 집필할 때 있었던 일을 이야기하고 싶습니다.

5권 집필도 종반에 들어서면서 6권의 플롯을 생각해야 할 때였습니다. 저는 큰 고민을 품고 있었습니다.

'……독자님들은 『봉황』을 받아들여 주실까?'

가뜩이나 『스파이 교실』은 등장인물이 많은데, 한정된 정보만 전할 수 있는 소설이란 미디어는 늘 묘사를 취사선택해야만 합니다.

그렇기에 고민했습니다. ―『봉황』을 6권에 얼마만큼 등장시키면 좋을지.

물론 저는 『봉황』을 아주 좋아합니다. 매우 좋아합니다. 졸업 시험 칠 때의 『봉황』이라든가 팀 결성 직후의 『봉황』을 자주 망상하며 「어딘가에서 쓸 수 없을까~」 하고 매일 생각합니다.

하지만 창작이란 만드는 이와 감상하는 이의 커뮤니케이션!

아무리 제가 좋아해도 독자에게 전해지지 않는다면 의미가 없습니다! 등장인물 삭감을 위해 그들을 회상하는 장면은 최소한으로 하고, 이전처럼 아홉 명+α로 돌리는 게 무난한 선택이었습니다.

'하지만 6권에서도 『봉황』을 등장시키고 싶어……!'

우물쭈물 생각하며 5권을 교정했습니다. 참고로 담당 편집자님은 「바쁘신 토마리 선생님에게 『봉황』 전원의 캐릭터 디자인을 맡기긴 좀 그렇죠……」 하고 말씀하셨습니다. 어쩔 수 없는 일이라지만 등장은 줄일 수밖에 없나, 하고 어깨를 떨궜습니다.

하지만 얼마 후에 생각지 못한 연락이 왔습니다.

편집자님: 5권을 읽은 토마리 선생님이 『봉황』을 그리고 싶다고 하십니다!

저: 진짜 그래도 돼요?!

토마리 선생님의 삽화가 있다면 얘기가 달라집니다. 그렇게 격려를 받은 저는 6권에서 거리낌 없이 『봉황』을 등장시켰습니다. 『등불』과 『봉황』의 교류와 붕괴, 그리고 유대 이야기를.

토마리 선생님, 정말로 감사합니다. 첫 번째 독자인 선생님께서 그들을 인정해 주신 덕분에 6권을 쓸 수 있었습니다. 빈드와 팔마의 디자인을 특히 좋아합니다.

자, 그럼 차회 예고입니다. 배신자란 오명을 쓴 소녀의 싸움이 시작됩니다. 세컨드 스테이지는 그녀와 또 한 명의 소녀를 위한 이야기입니다. 열심히 쓰겠습니다.

하지만 그 전에 단편집 2를 낼지도 모릅니다. 그럼 이만.

타케마치

스파이 교실 6
《백귀》의 지비아

초판 1쇄 발행 2022년 9월 20일

지은이_ Takemachi
일러스트_ Tomari
옮긴이_ 송재희

발행인_ 신현호
편집장_ 김승신
편집진행_ 권세라 · 최혁수 · 김경민 · 최정민
편집디자인_ 양우연
관리 · 영업_ 김민원

펴낸곳_ (주)디앤씨미디어
등록_ 2002년 4월 25일 제20-260호
주소_ 서울시 구로구 디지털로 26길 111 JnK디지털타워 503호
전화_ 02-333-2513(대표)
팩시밀리_ 02-333-2514
이메일_ lnovellove@naver.com
L노벨 공식 카페_ http://cafe.naver.com/lnovel11

ISBN 979-11-278-6548-1 04830
ISBN 979-11-278-5816-2 (세트)

값 10,000원

L BOOKS
6
츠키요 루이
레이아
세계 최고의 암살자, 이세계 귀족으로 전생하다
The world's best assassin,
L BOOKS